송가인이어라

송가인이어라

송가인 지음
스토리베리 구성

STUDIO:ODR

송가인, 이름 따라 살아가렵니다

송가인. 내 이름을 가만히 불러본다. 성은 송이요, 이름은 가인이라.

송(song)은 영어로 '노래'라는 의미고, 가인(歌人)은 한자어로 '노래하는 사람'이라는 뜻이니 '노래하는 사람으로 살아갈 운명이로구나!'라는 생각이 든다.

〈미스트롯〉에 출전하기 전에도 매일 노래를 불렀고, 〈미스트롯〉에 출전한 후에도 날마다 노래를 부르고 있다. 이 사실은 변함없는데 과거의 나와 지금의 나는 조금 달라진 것 같기도 하다. 그게 무엇일까 생각해본다. '송가인'이라는 이름 석 자를 전과는 비교할 수 없을 만큼 많은 사람이 알게 되었다는 것? 나를 알리고 노래를 부를 수 있는 기회가 많아진 것? 물론 내가 느끼는 나는 예나 지금이나 나 자신일 뿐이다.

그렇지만 아침에 눈을 뜨면 지금이 현실인지, 꿈인지 구분이 안 되어 멍할 때가 있다.

'와, 저게 진짜 나야?'

밥 먹다가 문득 본 텔레비전 광고나 무심코 눈에 들어온 엘리베이터 모니터에 내 얼굴이 불쑥 나올 때마다 지금도 깜짝깜짝 놀라곤 한다.

"본인도 본인이 송가인이라는 것에 익숙하지 않은 것 같아요."

누구보다 가까운 곳에서 나를 도와주는 소속사 실장님은 농담 반 진담 반으로 종종 이런 말을 한다. 내 마음을 있는 그대로 보여주는 것 같은 그 말을 들을 때마다 웃음이 터져 나온다.

이뿐만이 아니다. 이젠 유명인이 되었으니 사람들의 시선이나 인기인으로 누리는 지위에 익숙해지라는 말도 주변에서 종종 듣는다. 이제는 개인 송가인이 아니라 공인 송가인이니 됐으니 예전처럼 살 수 없다는 이야기도 해주신다. 그런 말을 들을 때마다 내 안에선 어긋난 수레바퀴가 돌아가듯 삐거덕거리는 소리가 들린다.

'나는 그냥 나인데 '유명해진 송가인'과 '지금까지의 송가인'

이 뭐가 그리 다르지?'

아직 세상 물정을 몰라 그렇다고 하시는 분들도 계시지만 왜 인지 마음이 썩 편하지는 않다. 물론 나도 알고 있다. 예전과 엄청 나게 달라졌다는 것을. 우선 노래 부를 기회가 언제 올까 하며 이 제나저제나 기다리던 생활이, 노래를 부르고 무대에 오르는 횟수 가 비교할 수 없을 만큼 늘면서 과장 조금 보태 초 단위로 스케줄 이 짜일 만큼 바빠졌다. 그리고 그보다 더 크게 변한 것은 엄청나 게 많은 분들이 나를 알아봐주시고, 상상할 수 없을 정도로 사랑 을 주신다는 점이다.

팬분들의 사랑을 생각하면 가슴이 먹먹해진다. 대한민국에 노래 잘하기로 친다면 나보다 잘 부르는 분들은 헤아릴 수 없이 많다. 그런데 내가 뭐라고 이토록 마음을 내어주시고 진심으로 좋아해주시는 걸까. 도대체 내가 어떻게 해야 이 마음에 보답할 수 있을까. 내가 죽을 때까지 노래해도 다 갚을 수나 있을까.

많은 분들께 송구할 만큼 큰 사랑을 받고 있지만 이 사랑이 온전히 내가 잘나서 받는 것이 아님을 잘 알고 있다. 사랑을 주시 는 분들의 넉넉한 마음 덕분이고, 나를 이렇게 키워주신 부모님 덕분이고, 내가 노래를 할 수 있는 무대를 만들어주시는 분들 덕분이다.

무대 위에서 화려한 스포트라이트를 받는다고 하여, 그 무대의 주인공이 어찌 오직 나 하나겠는가. 무대가 함께 만든 사람들 모두의 것이듯, 내가 받는 사랑 또한 내가 독차지할 몫은 아니다.

이런 내가 내 목소리를 담아 살아온 이야기를 책으로 내려니 부끄러움이 먼저 밀려온다. 세상에 내놓을 만큼 대단한 사연이 있지도 않을뿐더러 음악적 성취 또한 밤하늘의 별과 같은 존재이신 선생님들과 선배님들을 생각하면 민망하기 그지없을 만큼 송구할 뿐이다.

많이 망설이고 여러 번 사양했으나, 내 이야기가 지금 받고 있는 넘치는 사랑에 대한 작은 보답이 될 수 있으면 좋겠다는 마음에 큰 숨을 들이쉬고 용기를 냈다.

또한 지금 이 순간 현실에 지쳐 자신의 꿈이 손에 닿지 않는 무지개처럼 보일지도 모르는 분들에게 작은 희망이 될 수 있기를 바라는 마음이, 한 걸음 내딛게 했다. 지금은 비록 춥고 그늘진 곳에 있으나 머지않아 밝은 빛이 비치는 곳으로 나오게 될 누군가에게, 이 책이 차가운 손을 녹일 만큼의 온기로 가닿을 수 있다면 더 바랄 것이 없겠다.

저를 사랑해주시는 여러분,

이마에 손 모으고 가인이가 큰절 올립니다.

송가인이라는 이름으로 노래를 부르며 살아가는 한

크게 받은 사랑 모두 돌려드리며 살겠습니다.

제 이름 석 자에 부끄럽지 않도록

오래오래 여러분께 좋은 노래 들려드리겠습니다.

고맙습니다. 사랑합니다.

2020년 힘겨운 시간을 잘 버텨낸 여러분께 박수를 보내며,

송가인 드림

Part 1

환하고 따뜻한 장소

행복은 어디에나 있다.
행복한 일이라곤
전혀 없었다고 생각되는 날에도
마음 안을 잘 살펴보면
환하고 따뜻한 장소가 반드시 있다.
내게는 태어나고 자란 진도가
바로 그런 곳이다.

01
내 안의 행복

행복은 어디에나 있다고 한다. 하지만 힘들 땐 그 말을 믿지 않았다. 그런데 지금 생각해보면 행복이 없었던 게 아니라 내 가까이에 있는 행복, 내 마음 안에 있는 행복을 보지 못해서였다.

지금의 나는 행복해야 하는 모습이다. 누가 봐도 그렇다. 〈미스트롯〉에서 진을 한 것도 더할 나위 없이 행복한 일이고, 부르는 곳이 많아지고 나를 알아봐주는 분들이 늘어난 것도, 무대에 오를 기회가 많아진 것도 너무나 행복한 일이다. 행복한 일들이 늘어나면서 행복한 순간도 많아졌다. 하지만 그럼에도 나는 조금 힘든 날이면 과거의 기억을 뒤적인다. 시간이 지날수록 깨닫게 되는 건 내 마음 안에 행복이 자리하고 있다는 사실이고, 그 깊은

환하고 따뜻한 장소

행복감은 그저 순수하기만 했던 과거의 기억에서 비롯되기 때문이다.

지금 당장 현실에서 행복한 일이 생기지 않았다고 자신을 불행한 사람이라 여기는 것만큼 어리석은 일은 없다. 살면서 행복한 일을 하나도 경험하지 못한 사람은 없을 것이다. 다만 거칠고 추운 상황에 놓이면 마음이 좁아져 좋은 추억을 보지 못할 뿐일 것이다.

시간이 지나도 사라지지 않고, 누구도 뺏어갈 수 없는 행복한 시간들이 내 안에 추억으로 남아 있다. 그리고 그 추억은 나를 지탱하는 힘이 되었다.

힘들 때 마음속을 가만히 들여다보면 꾹꾹 뭉쳐놓았던 추억의 타래가 하나둘 풀리기 시작한다. 가장 먼저 도달하는 추억의 실타래는 진도에서 보낸 어린 시절의 추억이다. 슬픈 일도 있었고 즐거운 일도 있었지만 지금 돌아보면 모두 다정한 풍경이다.

해 지는 저녁이 되면 집집마다 나던 밥 짓는 냄새, 식구들이 밥상에 둥글게 둘러앉아 밥을 먹을 때 숟가락 부딪치던 소리, 동짓날 팥죽을 쒀서 동네 어르신들에게 나눠드리던 엄마의 모습, 비 오는 날이면 경운기로 동네 아이들을 모두 태워서 학교까지 데려다주시던 아빠, 티격태격 싸울 때도 많았지만 항상 든든한 존재였던 두 오빠들, 처음 가방 메고 학교에 가던 날, 산으로 들로 함께 놀러 다니던 언니 오빠들, 마을회관 옥상에서 바라본 까만 밤하늘에 점점이 박힌 별들, 깡통 가득 불을 담아 쥐불놀이를 돌렸던 정월 대보름날 등 이런 기억들이 내 안에 추억의 앨범으로 촘촘히 쌓여 있다. 언제 어느 때라도 꺼내 보면 배시시 미소 짓게 되는 행복한 추억.

가장 기억에 남는 일은 초등학교 입학이다. 그해 1학년 입학생이 나 한 명이었다. 이 얘기를 꺼내면 "지금이 어느 시대인데 그런 일이 있냐?"라며 믿을 수 없다는 반응을 보이는 사람들도 있지만 내가 다녔던 고야 초등학교(당시엔 국민학교)는 전교생 수가 130명 정도인 작은 분교였다.

그해에 공교롭게도 나 혼자 입학했기 때문에 교실을 따로 둘수가 없어 2학년 언니, 오빠들이 공부하는 교실 구석 한쪽에 칸막이를 만들고 선생님이 왔다 갔다 하면서 공부를 가르쳐주었다. 나도 초등학교가 처음이니 원래 이런 줄 알았지 이상하다는 생각은 전혀 하지 않았다. 나는 당연히 전교 1등이었고 상도 혼자 다받았고 반장도 했다. 그래서 지금은 공교육을 개인 레슨으로 받았다고 농담처럼 말하곤 한다.

처음 겪는 학교도, 선생님도 낯설었지만 학교생활은 재미있

환하고 따뜻한 장소

었다. 금색, 은색이 있는 크레파스를 상으로 받았을 땐 정말 기분이 좋았다. 언니와 오빠들은 나를 귀여워했고 먹을 것도 잘 챙겨주었다. 1학년 때는 말 그대로 전교생의 막내동생이었던 셈이다.

2학년에 올라갈 무렵 쌍둥이 두 명이 전학을 왔다. 그전에 여자애 한 명이 전학을 왔는데 같은 학년에 학생 수가 너무 없다는 이유로 다시 전학을 간 일이 있었다. 모처럼 친구가 생겼다고 기뻐했다가 친구가 가버리는 바람에 어린 마음에 상처를 받았다. 그런데 무려 쌍둥이가 전학을 온 것이다! 우리 세 명은 단짝친구가 되어 잘 어울려 놀았다. 한 명이 회장, 또 한 명이 반장, 나머지 한 명이 부반장을 맡으면서 전교생 모두가 간부가 됐다. 그렇게 학생 수가 무려 세 배나 늘어났는데도 1학년 때처럼 3학년 언니, 오빠들 교실에서 함께 수업을 받았다. 그러다가 3학년이 될 무렵 전체 학생 수가 너무 적어 고야 초등학교는 문을 닫고 지산 초등학교로 통합되었다.

내가 살던 동네는 진도에서도 시골이었기에 집에서 학교까지 가는 길이 제법 멀었다. 간혹 버스를 타기도 했지만 버스가 하루에 세 대밖에 없어 대부분 걸어 다닐 수밖에 없었다. 고개도 한두 개 넘어야 했는데 걷다가 산딸기도 먹고, 아카시아꽃도 먹고, 그런데도 배가 고프면 남의 밭에서 무나 고구마도 뽑아 먹었다.

가끔은 산길에서 죽은 뱀을 보기도 했다.

　도로가 포장되어 있지 않은 시절이라 비라도 오면 길이 온통 흙탕길이었다. 비가 많이 오는 날엔 아빠가 경운기를 타고 학교까지 데려다주었다. 동네 아이들과 경운기 뒤에 커다란 비닐 하나를 바닥에 깔고 또 위에도 덮어쓰고는 털털털 타고 갔다.

　등하굣길에 항상 넘는 다리가 있었는데 초등학교 1학년 때인가 혼자 집으로 오다가 졸음을 참지 못하고 그 다리 위에서 잠이 든 일이 있었는데 다행히 지나가던 동네 언니들이 나를 업고 집까지 데려다주었다. 다리 위에서 잠들어 있는 꼬맹이를 그냥 두고 갈 수가 없었던 것이다. 그런 언니들의 살뜰한 마음을 이제 와 곱씹어보면 코끝이 찡해지면서 마음이 따뜻해진다.

　저녁 시간에 정신없이 텔레비전을 보고 있노라면 아빠가 밥 먹으라고 귀를 잡아당기곤 했다. 아빠는 친구와 같은 존재였다. 언제나 내 편이었고 내가 원하는 것을 가장 먼저 들어주었다.

　동네에 놀이터 같은 시설이 없으니 또래들과 산으로, 들로, 밭으로 돌아다니면서 놀았다. 주위의 모든 자연이 놀이터였다. 봄엔 나물을 캐고 여름엔 산에 올라고 뛰놀고 가을엔 과일을 따고 겨울엔 화롯불 주변에 모였다. 여자애들은 나물을 캐러 다니고 남자애들은 미꾸라지를 잡으러 다녔는데 우리 집에선 특히 작은 오빠가 미꾸라지를 잘 잡았다. 가족과 낚시도 자주 다녔다. 그날 잡은 고기가 그날 반찬이었다.

이런 어린 시절 이야기를 하면 도시에서 자란 친구들은 어느 시대 얘기냐고 웃는다. 그렇지만 시골의 자연을 마음껏 누리며 자란 경험이 지금의 나를 만든 자양분이 되었다. 힘들 때면 고향을 떠올렸다. 진도의 자연은 팍팍한 도시 생활을 견디게 하는 힘이 되었다.

내 노래에 담긴 정서가 젊은 친구들보다 어르신들에게 더 가닿는 이유도 아마 '고향'에 대한 특별한 추억 때문이 아닌가 싶다. 어린 시절의 경험이 사람의 기본 정서를 결정한다는 이야기를 언젠가 들은 적이 있는데 그 말을 내 경험에 비추어 곰곰이 생각하면 과연 고개가 끄덕여진다.

캄캄한 무명 시절을 무사히 통과할 수 있었던 것은 든든한 버팀목으로 있어준 가족들과 좋은 사람들 덕분이고, 이들과 함께 나눴던 시간이 흩어지지 않고 내 안에 남아 있었기 때문이었다. 어릴 적 추억들은 지금도 여전히 내 마음 안에 환하고 따뜻한 장소처럼 자리 잡고 있다.

배가 고프면 밥을 찾아 먹듯

마음이 고프면 좋은 추억을 떠올린다.

환하고 밝은 빛이 비추듯

금방 마음이 밝아진다.

더 이상 한 발자국도 내딛기 어렵다고 느끼던 순간에도

노래를 포기하지 않을 수 있었던 건

밖에 있는 행복을 좇아서가 아니라

내 안의 행복을 놓지 않았기 때문이다.

02

별빛이 내린다

어릴 때부터 농사일을 돕고 산으로 들로 나물을 캐러 다니면서 자라서인지 풀이나 나무 이름을 또래 친구들보다 많이 아는 편이다. 길을 가다가도 길가에 돋아난 풀을 보면 몹시 반갑다. 마치 고향 친구를 만난 듯 "워메, 이게 얼마만이여"라고 살갑게 말을 걸기도 한다.

진도는 섬이지만 강도 있고 산도 있고 들판도 있고 바다도 있다. 계절마다 바다색이 달라지고 사시사철 산과 들의 빛깔이 변한다. 그림책에 그려진 자연이 아니라 피부에 와닿는 생생하고 아름다운 자연이다. 진도 곳곳에 어려 있는 아름다운 자연의 색감은 내 안의 예술적 감흥을 자연스레 꺼내주고 길러주었다. 현재의 진도는 예전에 비해 많이 변했고 발전했다. 그래도 자연은 여전하다. 끝없이 펼쳐진 하늘과 바다, 끊어질 듯 이어진 산, 굽이 굽이 감도는 길과 어머니 치마폭처럼 펼쳐진 들판, 그리고 그 들판을 건너오는 바람과 바람결에 실려 있는 냄새. 이 모든 게 섞여 '진도'를 만들어낸다.

한때 4만 명이던 진도의 인구는 이제 3만 명으로 줄었다. 젊은 층이 들어오지 않고 나이 드신 어르신들이 돌아가시니 앞으로 더 줄어들지도 모르겠다. 더 많은 분들이 진도를 사랑하고 아껴주셨으면 좋겠다.

어린 시절을 떠올리면 특히 '불빛'에 대한 기억이 선명하다. 아이들은 정월 대보름 한 달 전부터 신이 났다. 쥐불놀이를 할 수 있기 때문이다. 부지런히 동네를 돌아다니며 빈 깡통을 모으고 못으로 구멍을 뚫어 쇠줄로 연결해서 손잡이를 단다.

진짜 중요한 것은 송진을 캐는 일이다. 송진이 있어야 불이 잘 붙기 때문이다. 지금도 집 뒷산에 가면 아이들이 송진을 긁느라 나무 기둥을 판 흔적이 남은 소나무들이 있다. 아이들 등쌀에 시달리면서도 꿋꿋하게 살아남은 소나무들을 보면 대견하기도 하고 미안하기도 하다.

불이 붙은 깡통을 신나게 돌리다가 불꽃이 잦아들 무렵 깡통 안에 남는 재를 허공에 탁 던지면 캄캄한 밤공기 속에서 불꽃들

환하고 따뜻한 장소

이 반딧불처럼 반짝였다. 불꽃은 별빛처럼 반짝이다가 금세 사그라들었다. 그 모습이 마치 영화의 한 장면 같아서 넋을 잃고 바라보곤 했다.

그런데 한 번은 작은 오빠가 던진 깡통이 옆집에 사는 할머니 댁 지붕으로 떨어진 적이 있었다. 치매를 앓던 할머니 댁이었는데 어린 마음에 너무 놀라 우리는 누가 먼저랄 것도 없이 도망을 쳤다. 놀라기는 할머니도 마찬가지여서 도깨비불이 떨어졌다고 소리소리 지르셨다. 다행히 집에 있다가 서둘러 뛰쳐나온 아빠가 쥐불놀이 때문에 생긴 일이라는 사실을 단박에 눈치채고 잘 수습해주셨다. 큰일이 없긴 했지만 두고두고 가슴을 쓸어내릴 만큼 강렬한 기억으로 남았다.

쥐불놀이로 한바탕 놀고 나면 각자 집에 가서 냄비와 숟가락을 가지고 나와 동네를 돌아다니며 밥을 얻었다. 아마 요즘 핼러윈 때 아이들이 사탕을 얻으러 다니는 풍습과 비슷하지 않을까. 불빛도 없이 캄캄한 밤에 각자 얻어온 밥을 모아 가로등 빛에 의지해 싹싹 비볐다. 그렇게 먹으면 평소에 싫어하던 고사리나물도 입으로 술술 들어갔다. 가로등 불빛 아래 옹기종기 모여서 먹었던 정월 대보름 비빔밥은 세상에서 가장 맛있는 음식이었다.

때마다 철마다 자연에서 뛰어다니며 놀던 그 시절, 가장 좋아

한 것은 친구들과 함께 마을회관 옥상에 종이 박스를 펴고 누워 별을 바라보는 일이었다. 사시사철 가능한 일은 아니었다. 여름 엔 모기 때문에, 한겨울엔 너무 추워서 힘들었다. 여름이 물러나고 슬슬 서늘한 기운이 느껴지는 초가을 밤이 별을 보기에 가장 좋은 때였다.

스티로폼에 누워 밤하늘을 바라보면 멀리 있는 별들이 손을 뻗으면 잡힐 듯 가깝게 느껴졌다. 그 빛나는 존재들은 아무리 오래 바라보아도 질리지 않았다.

스타가 되고 싶다는 꿈은 상상조차 하지 않던 시절, 어쩌면 그때 나도 모르게 별처럼 빛나는 사람이 되고 싶다는 소망을 꿈꾸었을까. 잘 모르겠다. 다만 아름다운 걸 보는 게 좋았다. 아름다운 사람, 아름다운 노래, 아름다운 꿈.

스타는 별과 같은 존재라고 한다. 그래서 사람들과 거리를 두고 신비로운 존재로 남아야 한다는 이들도 있다. 하지만 나는 높은 곳에서 머물기보다 사람들에게 가까이 다가가고 싶다. 낯선 타인의 욕망 어린 시선에 휘둘리며 반짝이는 존재가 되기보다 사람들의 텅 빈 가슴을 따스하게 채우는 은은하고 깊은 빛이 되고 싶다.

환하고 따뜻한 장소

반짝이는 것들이 좋아 보이던 날들도 있었다.

그러나 이제는 잠깐 반짝이는 것과 오래 빛나는 것이

다른 일임을 알고 있다.

히트곡을 부르고 유명해지는 건

잠시 반짝이는 일과 같다.

그러나 사람들을 진정 위로하는 노래를 부르는 건

마음에 변하지 않는 빛을 만드는 일이다.

03
첫 스승님과의 만남

"진도에서는 소리 자랑하지 말어."

이런 말이 있을 정도로 진도 사람들은 노래를 좋아하고 흥 또한 넘친다. 노래를 잘하면 대접을 받고 그렇지 못하면 푸대접을 받기까지 한다. 진도 사람들의 삶 굽이굽이마다 노래가 향기처럼 배어 있으니 이런 표현이 생기는 것도 당연한 듯싶다.

국악하는 사람들 사이선 '진도 태생'이라는 것 자체가 하나의 특혜와 같다. 소리를 할 때 노력으로 배우고 익혀야 하는 어떤 분위기가 있는데 진도에서 나고 자라면 그게 저절로 몸에 익는 면이 있기 때문이다. 그런 점에서 내가 진도에서 태어나고 자란 것이 너무나 감사하다.

게다가 나는 여러모로 기회가 많았다. 진도에서는 초등학교 때부터 특활시간에 민요와 한국화를 배운다. 그렇게 학교 커리큘럼으로 민요를 자연스레 접하기도 했고, 매주 토요일마다 어머니가 진도 향토회관에서 공연을 해 그 모습을 어릴 적부터 봐오기도 했다. 살아 있는 무대 현장을 계속 보다 보니 흥미가 생겼다. 그래서인지 집에서 텔레비전으로도 자연스레 국악 프로그램을 보곤 했다. 아이돌 가수가 나오는 음악방송을 봐도, 그 무대를 향해 팬들이 소리 지르며 환호하는 장면을 봐도 별다른 감흥이 없었다. 가요와 국악이 뭐가 다른지 구분하기도 전에 국악에 먼저 익숙했던 게 아닌가 싶다.

어렸을 땐 내가 특별히 노래에 재주가 있는지 몰랐다. 부끄러움을 많이 타는 성격이어서 남 앞에서 노래를 부르는 일도 거의 없었다. 누가 노래 잘한다는 얘기를 해준 적도 없었다. 그도 그럴 것이 노래 못하는 사람 찾기가 더 어려운 게 진도라는 고장이었기 때문이다. 어지간히 잘해선 잘한다는 소리는커녕 그것도 노래냐고 타박하는 곳에서 살았으니 내가 대한민국을 뒤흔들 가수가 될 것이라곤 가장 가까운 가족조차 상상하지 못했을 것이다. 그냥 자연스레 노래가 좋아서 국악 쪽으로 진로를 정했고, 열심히 공부했고, 쉬지 않고 노래를 불렀던 시간들이 지금의 길을 만들어온 것 같다.

중학교 때 '남도들노래'라는 민요를 배웠는데 그때 노래를 가르쳐주시던 선생님이 엄마에게 "얘가 타고난 소질이 있는 것 같으니 노래 공부를 시켜보면 어떻겠느냐"고 권하셨다. 엄마가 이미 국악을 하고 계셨고 오빠도 국악 쪽으로 진로를 정한 터라 큰어려움 없이 나도 중학생이 된 후부터 노래를 배웠다. 본격적인소리 공부는 중학교 2학년 때 시작했다. 소리 공부는 초등학생 때부터 하는 경우가 다반사라 중학생 때 시작한 나는 또래에 비해많이 늦은 편이었다.

중학생 때는 주로 민요를 배웠다. 전라남도 무형문화재 제34호 남도잡가 예능보유자이신 강송대 선생님이 나의 첫 스승이셨다. 어린 내가 들어도 선생님의 소리는 기가 막혔는데, 희로애락의 감정 중에서도 특히 슬프고 애절한 표현이 타의 추종을 불허하셨다. 나이가 어렸는데도 선생님의 소리를 들으면 절절한 감정이 그대로 전달되었다. 처음 목을 만들어가던 시기에 선생님을만난 것은 엄청난 행운이었고, 그만큼 귀한 인연이었다. 선생님께 노래를 배우며 남도 소리 창법의 기초를 다질 수 있었다.

노래를 배우는 시간은 정말로 재미있었다. 새로운 것을 배운다는 사실만으로도 설렜다. 학교가 아닌 장소에서 학교 선생님말고 다른 선생님에게 노래를 배운다는 것은 내게 가슴이 두근거리는 특별한 경험이었다.

"목소리가 꾀꼬리처럼 이쁘다잉."

선생님은 내 목소리가 '시시상청(時時上淸)'이라며 높은 고음이 꾀꼬리처럼 곱고 예쁘게 나온다고 칭찬을 아끼지 않으셨다. 우리 소리는 고음으로 올라가는 단계를 평성, 상청, 중상청, 시시상청으로 구분한다. 시시상청은 고음 중에서도 고음, 최고조의 고음을 내는 소리다. 당시 나는 판소리를 배우기 전이라 성대에 아직 굳은살이 생기지 않아 목청이 얇았기에 높은 소리가 잘 나왔다.

선생님의 칭찬은 나를 하늘 높이 솟구치게 했다. 선생님을 만나러 갈 때마다 마음의 키가 쑥쑥 자라나는 것 같았다. 선생님은 내 목청의 특성을 잘 알고 계셨고 이면에 맞게 부르는 법을 처음으로 가르쳐주셨다. 소리뿐만 아니라 어른에 대한 예절과 인성을 갖추는 것이 중요하다는 것을 하나둘씩 깨달은 것도 선생님 덕분이다.

환하고 따뜻한 장소

칭찬은 고래도 춤추게 한다고 했던가.
선생님의 칭찬은 내 영혼을 춤추게 했다.

나도 잘하는 게 있다는 것을 안 순간,

그리고 그것이 나를 특별하게 만든다는 것을 깨달은 순간,

내 가슴에 영원히 꺼지지 않는 빛이 생기는 것 같았다.

04

아리 아리랑 쓰리 쓰리랑 아라리가 났네

강송대 선생님 문하에서 많은 민요를 배웠는데, 그중에서도 가장 기억에 남는 노래는 '진도 아리랑'이다. 우리나라엔 '밀양 아리랑', '강원도 아리랑', '정선 아리랑' 등 많은 아리랑이 있지만 다른 아리랑과 달리 진도에서 '진도 아리랑'은 세 살 꼬마부터 여든 살 어르신에 이르기까지 시키면 누구나 다 부를 수 있을 정도로 대중적인 노래다. 진도의 트레이드마크 같은 노래인 셈이다.

진도 사람으로 태어나면 '진도 아리랑'을 배우지 않을 수가 없다. 학교에서도, 동네에서도 잔치나 행사 때면 빠지지 않고 부른다. 그러다 보니 머리로 이해하기 전부터 몸에 저절로 가락이 배어든다.

아리 아리랑 쓰리 쓰리랑 아라리가 났네
아리랑 응응응 아라리가 났네

문경 새재는 웬 고갠가 구부야 구부구부가 눈물이로다

아리 아리랑 쓰리 쓰리랑 아라리가 났네
아리랑 응응응 아라리가 났네

약산 동대 진달래꽃은 한 송이만 피어도 모두 따라 피네

아리 아리랑 쓰리 쓰리랑 아라리가 났네
아리랑 응응응 아라리가 났네

　가사도 가사지만 가락도 얼마나 절묘하게 변하는지, 구슬프
게 감기는가 하면 신나게 풀어지다 새초롬하게 툭툭 꺾이는가 하
면 언제 그랬냐는 듯 살갑게 이어진다. 끝없이 흘러가는 강물처
럼 유장하게 흐르다가 흥이 마구 치솟아 절정으로 가는가 하면
꾹꾹 눌러두었던 한이 폭포처럼 울컥울컥 쏟아지니 수만 번 부르
면 수만 번이 다 다르다. 노래를 들을 때마다 이게 과연 같은 노래

환하고 따뜻한 장소 〰

인가 싶다.

또한 누가 부르느냐에 따라 전혀 다른 노래처럼 들리기도 한다. 부르는 사람과 듣는 사람의 교감에 따라 마음의 속살을 간지럽히기도 하고 인생의 굵은 주름을 어루만지기도 한다. 정말이지 '진도 아리랑'에 대해 말하자면 석 달 열흘도 부족하다. 슬픔이 켜켜이 쌓인 상태에서 혼자 부르면 처량하기가 이루 말할 데 없고, 신명 나는 가운데 여럿이 함께 부르면 그 어떤 응원가도 능가할 만큼 강력한 힘을 내뿜는다.

하지만 역시 '진도 아리랑'의 참맛은 여럿이 어울려 부를 때 나오는 것 같다. 주거니 받거니 하면서 장단을 메기고 받다 보면 누군가 가사를 슬쩍 바꿔 부르기도 하는데 재치 있는 가사가 나오기라도 하면 다들 한바탕 웃으며 박수를 보낸다. 우리 민족이 흥이 많다고 하는데 어떤 어려운 순간도 노래로 풀어낼 줄 아는 신명이 있어서가 아닌가 한다.

몸 어디라도 툭 치면 첫 소절이 턱 나올 만큼 수없이 많이 불렀지만 '진도 아리랑'은 여전히 내가 가장 사랑하는 노래 중 하나다. 타향살이를 하는 중에도 내 고향 진도를 떠올리며 설움을 잊게 해준 노래이고, 고향 집 마당에서 별을 바라보고 있노라면 자연스레 나오는 노래이기도 하다. 언제 어느 때라도 숨 쉬듯 나오

는 노래이니 내 몸을 이루고 있는 세포 중 일부가 아닐까, 엉뚱한
상상을 해본다.

환하고 따뜻한 장소

'진도 아리랑'의

처연하면서도 신나는 분위기를 어떻게 설명할까.

그 모순이야말로 '진도 아리랑'의 매력이다.

내게도 이런 모순이 있다.

누구에게도 털어놓지 못한 설움과 슬픔이 있지만

그 아픔을 모두 껴안고도 남을 만큼 깊은 정과 넓은 사랑이

내 안에 자리해 있다.

'진도 아리랑'이 슬픔과 기쁨을 모두 담고 있는 것처럼

내게도 나만의 기쁨과 슬픔이 있어서

내가 나일 수 있는 것인지도 모른다.

05

박금희 선생님을 만나다

광주예고로 진학한 후에는 명창 박금희 선생님께 판소리를 배웠다. 판소리 선생님들 중에는 혹독한 가르침으로 무섭다고 소문 난 분들이 많았는데, 박금희 선생님은 천사 같은 분이셨다. 소리를 배우러 갈 때마다 "아이고, 내 딸 왔는가"라며 반갑게 맞아주시던 선생님. 밥도 차려주시고 집에서 잠도 재워주셨다. 비단 나한테만 그러신 게 아니라 다른 제자들에게도 그리 하셨으니 품이 참으로 넓고 큰 분이다.

선생님은 〈심청가〉, 〈흥보가〉, 〈춘향가〉, 〈수궁가〉, 〈적벽가〉 등 대표적인 판소리 완창을 수십 회나 하신 대단한 명창이시다. 판소리 완창이 왜 대단한가 하면 짧게는 4시간에서 길게는 10시간이 넘는 시간 동안 혼자 소리를 해야 하기 때문이다.

게다가 그 많은 대목을 다 외워야 한다. 한 대목만 제대로 불러도 진이 빠지는데 수십 대목을 한 번에 부른다는 것은 보통 기력과 기백으로는 어려운 노릇이다. 어디 그뿐인가. 대목마다 인간이 살면서 겪는 희로애락을 온전히 소리로 표현하며 온갖 감정의 너울을 타야 하니 하고 싶다는 마음만 있다고 할 수 있는 경지가 아닌 것이다.

박금희 선생님은 1964년 중학교 2학년이란 나이에 최고 권위의 예술대회에서 문화공보부장관상 수상을 시작으로 제1회 정읍사 명창대회 대명창부 대상까지 받으셨고 전라남도 무형문화재 〈수궁가〉 보유자로 인정받는 분이셨으니 이런 선생님께 소리 공부를 배우는 것은 내게는 꿈같은 일이었다.

당시 선생님은 일주일을 월, 화, 수요일과 목, 금, 토요일로 나눠서 광주와 목포를 오가면서 수업을 하셨는데 나중에는 목포에 정착하셨다. 그래서 나도 처음엔 광주에 있는 연구소에서 소리를 배우다가 이후 목포로 가서 배웠다. 주말마다 목포와 광주를 오가는 생활을 하게 된 것이다.

토요일 일요일에 목포로 가서 선생님께 소리를 배우고 다시 광주로 왔다. 지금처럼 교통이 편하지 않던 때였다. 자취 집에서 버스를 타고 광주 터미널로 가서 목포행 버스를 탄 후 목포 터미

널에 도착하면 다시 버스를 타고 선생님 학원으로 갔는데 왕복으로 대여섯 시간쯤 걸렸던 것 같다. 고될 법한 길이었지만 그 길을 오가는 게 그리 좋았다. 중학교 때 민요를 배우러 가면서 느꼈던 설렘과 흥분, 기쁨과 호기심이 하나도 사라지지 않고 고스란히 이어졌다. 아니, 내가 성장한 만큼 내 안의 감정도 더 커졌다. 더 큰 설렘과 더 깊은 흥분, 더 충만한 기쁨과 더 강렬한 호기심이 나를 감싸고 있었다. 노래를 배우는 게 너무 좋아서 먼 거리를 오가는 일이 전혀 힘들지 않았다. 남들은 중고등학생 때 사춘기를 심하게 겪기도 한다는데 나는 사춘기를 자각할 틈조차 없었다.

선생님께선 매주 공부해야 할 대목을 녹음해서 주셨다. 지금이야 휴대폰도 있고 성능 좋은 녹음기도 있지만 그때는 카세트테이프에 녹음해서 주시면 그것을 소중히 건네받아 듣고 또 들으면서 연습했다. 테이프가 늘어질 때까지 들은 덕분에 그때부터 귀가 좀 트인 게 아닌가 싶다.

판소리를 막 배우기 시작할 무렵엔 마냥 행복하고 좋았다. 열심히 연습하고 공부해 가면 "내 딸 열심히 했네"라고 아낌없이 칭찬을 해주시던 선생님. 선생님께 그 말을 듣고 싶어 더 열심히 했다. 이때는 선생님을 만나 판소리 공부하는 게 세상에서 가장 행복한 일이었다. 한창 소리에 재미를 붙이던 시기였다.

판소리는 악보가 없다. 오직 사람을 통해 입에서 입으로 소리로 만 전해지는 음악이다. 예를 들어 〈춘향가〉를 배운다 치자. 선생님 께서 '사랑가' 한 대목을 가르쳐주시며 "이리 오너라, 업고 놀자" 하 시면 나도 그 소리를 따라 "이리 오너라, 업고 놀자"라고 받는 식이 다. 나 역시 이렇게 한 대목 한 대목 듣고 따라 부르면서 심 봉사가 문고리를 붙잡고 더듬더듬 나갈 곳을 찾듯 판소리를 익혀나갔다.

선생님이 듣기에 흡족하면 다음 대목으로 진도가 나갔지만 그렇지 못하면 절대 다음 대목으로 넘어가지 못했다. 나는 선생 님의 가르침 하나하나가 무엇보다 소중하다고 생각했기 때문에 예습, 복습을 성실하게 했다. 그 덕분에 매주 새로운 진도를 나갈 수 있었다. 집에 돌아와 선생님께 받은 테이프를 듣고 또 들으며 다음 주에 나갈 부분을 예습하는 일이 정말로 즐거웠다. 이런 나 를 선생님께서 수제자로 여기며 예뻐해주셨다.

그런데 그토록 아끼던 수제자가 느닷없이 트로트를 한다고 하니 얼마나 마음이 상하셨겠는가. 당시 선생님의 속상하셨을 마 음을 생각하면 죄송하기 그지없다. 그래도 지금은 누구보다 기뻐 하고 격려해주시며 최고의 응원을 해주신다. 선생님께 누를 끼치 지 않기 위해서도, 선생님께서 보내주시는 응원에 보답하기 위해 서도 오늘도 연습에 집중한다.

살면서 한 분의 스승을 만나는 것도
크나큰 복이라고 하는데
나는 큰 스승을 두 분이나 만났다.
스승님들의 은혜에 보답하는 길은
초심을 잃지 않고 배우는 마음으로 임하는 것이다.

처음 노래를 배우던 때를 돌아보며
오늘도 나는 마음의 결을 가다듬는다.

Part 2

물오른 어린 나뭇가지처럼

유연함은 살아 있다는 증거다.
살아 있는 나무는 작은 바람에도 가지가 휘지만
죽은 나무는 딱딱하게 굳는다.
노래를 부르는 가수이기 전에
삶을 살아가는 한 사람으로서
태도를 먼저 생각하려고 애쓴다.

06

산 공부

소리를 배우는 사람들이 반드시 거쳐야 하는 관문 중에 '산 공부'가 있다. 산 공부란 말 그대로 산에 들어가서 하는 공부로, 명창이 되기 위해 집중적으로 공부를 하는 시기를 일컫는 말이기도 하다. 나도 방학이 되면 짐을 꾸려 산 공부를 하러 들어갔다. 초등학생부터 성인에 이르기까지 박금희 선생님께 배우는 제자들이 다 같이 모이는 자리이기도 했다. 일종의 자발적 하드트레이닝인 셈인데 학교를 다닐 때보다 산 공부가 더 기대되고 기다려지기도 했다. 내 역량에 맞게 부족한 점은 보완하고, 다듬고 싶은 점은 더욱 갈고닦을 수 있는 기회였기 때문이다.

산 공부는 고등학생 때부터 대학 시절까지 일 년에 두 번씩

물오른 어린 나뭇가지처럼

꾸준히, 여름방학과 겨울방학 중에 했다. 고등학교와 대학교 때를 합쳐 열네 번의 산 공부를 한 셈이다. 짧게는 2주에서 길게는 한 달 정도 되는 기간 동안 먹고 자는 시간 외에 오직 소리만 하니 한 번 다녀올 때마다 실력이 부쩍 늘었다. 평소에도 연습을 게을리 하지 않았는데도 산 공부를 빠짐없이 다녔던 이유 중 하나는 중학생이 되어서야 민요를 배웠고, 판소리는 광주예고를 다니면서부터 시작한 터라 어릴 때부터 시작한 친구들에 비하면 많이 늦었다는 생각이 있어서였다. 그들을 따라잡으려면 열심히 하는 수밖에 없었다.

산 공부 중에는 매일 새벽 5시에 일어나 7시까지 두 시간씩 아침 연습을 했다. 이 아침 연습은 배운 것을 복습하는 시간이었다. 여름이라고 해도 산속의 새벽은 매우 춥다. 비몽사몽한 상태로 일어나 덜덜 떨면서 연습을 하다 보면 목이 채 뚫리지 않아 소리가 제대로 안 나올 때가 많았다. 이렇게 두 시간을 꼬박 연습한 후에 아침밥을 먹었는데 반찬이 뭐가 나오든 무조건 꿀맛이었다.

밥을 먹고 난 후엔 오전 9시부터 12시까지 수업을 받았다. 한 명당 대략 30분 정도 개인 레슨 시간이 주어졌는데 선생님께 연습한 대목을 점검받으며 진도를 새로 나가는 이들도 있었고, 배운 부분에서 넘어가지 못해 복습을 거듭하는 이들도 있었다. 점심을 먹고 나면 잠시 쉬었다가 다시 자기 전까지 연습에 몰두했다.

하루 종일 연습을 하니 목이 쉬었다가 돌아왔다가 다시 쉬기를 반복했다. 그러면 목에 굳은살이 생기면서 소리가 정착된다. 성대를 마찰시켜 인이 박이게 만드는 것인데, 쉰 소리라도 어떻게 목을 쓰느냐에 따라 소리가 다 달랐다.

이런 식으로 산 공부를 몇 번 반복하면 성대에 근육이 쌓이며 자신만의 탄탄한 소리가 만들어진다. 흔히 소리꾼들을 떠올리면 폭포 아래에서 연습하는 광경이 떠오를 것이다. 실제로 그렇게 연습하는 이유는 폭포 소리를 뚫고 나올 만큼 성량을 키워야 하기 때문이다.

지금은 어떤지 몰라도 당시만 해도 숙소엔 세탁기가 없어서 빨래는 각자 손빨래를 했다. 다행히 밥을 해주시는 이모님이 계셔서 식사에는 어려움이 없었는데 문제는 먹고 돌아서면 배가 꺼지는 나이인지라 배가 자주 고팠다는 사실이다. 하루 종일 소리를 하니 늘 허기에 시달릴 수밖에 없었다.

한번은 새벽에 배가 고파 몇몇 친구들과 부엌에서 몰래 밥을 찾아 먹었다. 뭐가 어디에 있는지도 모르니 눈에 띄는 대로 김에 밥을 싸서 허겁지겁 먹고 있는데 드르륵 문 여는 소리가 들리는 게 아닌가! 선생님이었다. 현장을 들켰으니 꼼짝없이 혼나겠구나 싶어 아무 말도 못 하고 서로 눈치만 보고 있었다. 그런데 우리가 밥을 먹고 있었다는 것을 깨달은 선생님은 "아이고, 내 딸들. 배가 많이 고팠냐잉" 하시면서 한참이나 크게 웃으셨다. 다행히 혼나지 않고 무사히 넘어간다 싶었는데, 다음 날 선생님께서 마트에 가서 먹을 것을 잔뜩 사 오셨다. 규칙을 어겼다고 꾸중하지 않고 제자들의 허기를 달래주고자 장을 봐오신 선생님의 마음을 떠올리면 아직도 감격스럽다. 이렇게 집중적으로 공부하는 데에서도 즐거운 추억이 생겨났던 산 공부는 지금도 소중한 기억으로 남아 있다.

산 공부를 할 때 즐거움도 있었고 어려움도 있었던 것처럼 소리를 배워가는 과정은 인생과 비슷한 데가 있는 것 같다. 잘될 때도 있고 잘 안 될 때도 있다. 잘된다고 우쭐하거나 방심할 것도 아니고 안 된다고 낙담하거나 좌절할 것도 아니다. 그냥 그런 일들을 해야 할 과정이라고 여기며 많이 겪을 뿐이다.

나도 사람인지라 꾀가 날 때도 있었고 쉬고 싶을 때도 있었다. 게다가 소리는 엄청난 에너지를 필요로 한다. 온 힘을 다해 지르는 것뿐만 아니라 오장육부에서부터 모든 힘을 쥐어짜야 할 때도 있다. 몸집이 작은 데다 체력도 약했던 나는 한두 시간 소리를 하고 나면 기절할 만큼 힘들었다.

그래도 매일매일 해야 하는 산 공부를 해낼 수 있었던 건 함께하는 사람들이 있어서였다. '혼자 가면 빨리 가지만, 함께 가면 멀리 간다'라는 말이 있다. 내게 산 공부는 함께 갔기에 빠르게 멀리 갈 수 있었던 시간이었다.

함께 공부하면서 가장 좋았던 점은 서로가 서로에게 버팀목이 되어준다는 점이었다. 내가 어디까지 왔는지 선생님께서 정확하게 점검해주시기도 했지만, 산 공부 초기엔 소리가 잘 안 나오던 사람이 산 공부가 끝날 무렵 기량이 쑥쑥 늘어 누가 들어도 감탄이 나올 만큼 소리를 해내면 내 일인 것처럼 그렇게 기쁠 수가 없었다. 나도 할 수 있다는 자신감이 생겼고, 게을러지던 마음을 다시 잡아 공부에 더욱 매진할 수 있었다.

또한 공통의 목표를 가진 사람들이 함께 시간을 보내면서 배려와 양보를 많이 배울 수 있었던 점도 산 공부가 지닌 커다란 미덕 중 하나였다. 같이 있는 시간이 많다 보면 아무래도 스트레스가 쌓이기 마련이다. 게다가 살아온 환경이 다르니 생활 습관도 제각각이었다. 또래도 있었고, 위아래로 차이가 많이 나는 사람들도 있어서 세대 차이도 났다. 그러나 거기에서는 나이가 어리다고 누구 하나 함부로 대하는 일이 없었다. 장난을 치고 티격태격하더라도 무례한 선을 절대로 넘지 않았다. 만에 하나 그런 일이 생기면 호되게 야단을 맞았다. 말도, 행동도 남에게 폐를 끼치지 않도록 조심했다. 소리 공부보다 더 중요한 것이 사람 공부고, 타인을 대하는 태도가 소리에 다 나온다고 했다. 이렇듯 삶과 사람을 대하는 바람직한 방법을 배울 수 있었기에 내게 산 공부는 더더욱 의미가 깊었다.

〈미스트롯〉에 참가해 합숙 등 단체 생활을 할 때 산 공부 경험 덕에 별다른 스트레스를 받지 않았던 것 같다. 산 공부를 할 땐 이때의 경험이 훗날 어떻게 쓰일지 모르고 소리만 주야장천 내질렀는데, 살아 있는 인생 경험이 두고두고 나를 도왔으니 감사할 뿐이다.

소리 공부는 인생 공부였다.
잘되는 날이 있으면 안 되는 날도 있었다.

살다 보면 맑은 날도 있지만
가끔은 비도 오고 눈도 오고 바람도 분다.
일희일비하지 않고
자신의 소리를 찾을 때까지 묵묵히 목을 다듬듯
나는 나의 인생길을 걸어가는 것이다.

07

이면을 배운다는 것

소리 공부를 할 때 '이면'에 맞게 하라는 말을 가장 많이 들었다. 소리를 내는 대목이 어떤 상황인지 실제인 양 느껴보라는 의미일 것이다. 익숙한 고향을 떠나 낯선 곳으로 간다는 설정은 동일해도 심청이가 공양미 삼백 석에 팔려가는 대목과 별주부가 토끼를 잡으러 가는 대목의 심정은 육지에서 바다로 내려가는 심정과 바다에서 육지로 올라오는 심정만큼이나 다르다. 한쪽은 한 생명을 살리려고 스스로 죽으러 가는 길이요, 다른 한쪽은 한 생명을 죽이려고 명령에 의해 잡으러 가는 길이다. 그런데 내가 그 경험을 해본 적이 없으니 심청이나 별주부가 어떤 마음인지 도통 알 도리가 없었다.

또한 〈춘향가〉에서 내가 특장으로 삼았던 대목은 '이별가'였는데, 〈춘향가〉 중에서 가장 애절하면서도 심금을 울리는 장면이다. 사랑하는 사람과 헤어지는 마음을 모르는 것은 아니었지만 춘향이의 마음을 완벽하게 헤아리기는 쉽지 않았다. 춘향이의 마음은 춘향이의 것이니 말이다. 그래도 춘향이에게 공감하려고 애를 썼다. 나는 춘향이고 떠나가는 이몽룡을 향해 애절한 심경을 전하는 중이라고 생각했다. 잡을 수도, 놓아줄 수도 없는 이별의 이면을 생각하는 일은 어려웠지만, 머릿속에 장면을 떠올리며 수없이 연습하다 보니 종국에는 호흡을 할 때 들숨 날숨으로 공기를 들이마시고 내쉬는 일만큼이나 자연스러워졌다.

소리는 기본적으로 혼자 해내야 하는 일이다. 외로우면서도 고단한 작업이다. 직접 체험해야 하지만 결코 단시간에 이뤄지지 않는다. 이론으로 안다고 해도 바로 소리로 나오지도 않는다. 한 번 듣고 단박에 척 해내면 얼마나 좋으련마는 절대로 그런 일은 일어나지 않는다. 될 때까지 해보는 수밖에 도리가 없다. '아' 소리 하나에도 수없이 많은 꺾임이 있고, 그 꺾임마다 느낌이 다르다. 기쁨의 탄성, 배신의 아픔, 분노의 절규, 슬픔의 탄식 등 장면마다, 대목마다 다르게 쓰인다.

한 가지를 깨우치는 데도 당연히 시간이 필요하다. 호흡을 어떻게 하는지, 목을 어떻게 여는지, 내 몸에서 나오는 소리 길을 열

물오른 어린 나뭇가지처럼

어줓히는 연습을 수천 번, 수만 번 해보면서 스스로 체득해야 한다. 일찌감치 명창 반열에 오른 대가들도 하면 할수록 소리가 어렵다고 한다. 그만큼 겸손해질 수밖에 없고, 소리를 대하는 태도를 거듭 생각할 수밖에 없다. 평생에 걸쳐 목을 만들어야 하고 마음을 만들어야 한다.

마음을 헤아리고 심정을 느끼며 그 상황의 이면을 생각하는 습관은 선생님께 배운 바도 크지만, 혼자 생각하고 느끼는 시간을 수없이 보내면서 터득하기도 했다. 산 공부를 할 때 외따로 떨어진 곳에 자리를 잡고 앉아 연습을 하다 보면 저쪽에서 누군가의 소리가 들렸다. 그 소리는 춘향이일 때도 있었고, 심청이일 때도 있었다. 어사또가 출두하는 장면인가 하면 심 봉사가 눈 뜨는 대목일 때도 있었다. 자신이 부를 때는 잘 몰라도 남의 소리를 들으면 선명하게 알게 되는 법인지, '저기선 저 감정이 아닌데'라든가 '아, 어쩌면 딱 내 마음 같냐'라는 식으로 느껴질 때가 있었다. 그러다가 퍼뜩 정신을 차리고 누구의 소리도 미치지 않는 곳으로 자리를 옮겨 연습을 했다.

혼자 연습을 하다가 문득 멈추면, 자연의 소리가 들렸다. 바람 소리도 들리고 물소리도 들렸다. 산속의 햇빛은 맑고 맑아서 나뭇잎에 닿을 때마다 쟁강쟁강 튀는 소리가 났다. 나뭇가지에

앉았던 새들이 후르르 날아가면 고요하던 하늘이 갑자기 소란스러워졌다. 춘향이의 슬픈 감정에 잠겨 있을 땐 계곡물 흘러가는 소리가 눈물 소리처럼 들렸고, 춘향이의 설레는 감정을 표현할 땐 나무 사이로 불어오는 바람이 나뭇잎 하나하나에 말을 걸며 내 마음이 어떤지 묻는 것 같았다.

어떤 날은 소리가 자연과 하나가 되는 것 같기도 했다. 내가 소리인지, 소리가 나인지 구분할 수 없을 만큼 몰입한 날엔 가슴 깊은 곳에서부터 우러나는 충만함을 느꼈다. 아마 산 공부를 한 만큼 내 마음의 깊이도 한층 깊어졌을 것이다.

소리의 이면을 깨우쳐준 또 다른 공신은 산속의 나무들이었다. 살아 있는 나무의 가지들은 〈춘향가〉에 나오는 춘향이 허리처럼 낭창낭창 유연했다. 그러나 죽은 나뭇가지들은 한눈에 보기에도 딱딱하고 굳은 모습이었다. 이상하게도 그게 꼭 고집스러운 마음 같아 보였다. 살아 있다는 건 유연한 것이고, 죽은 것은 굳은 것일까. 변하지 않는 것은 죽은 것이나 마찬가지가 아닐까 생각했다.

이때의 경험으로 혼자 고집을 부리기보다 다른 사람의 마음을 헤아리며 되도록 유연하게 생각하는 것이 다양한 측면에서 이면을 생각하도록 도와준다는 사실을 깨달았다.

물오른 어린 나뭇가지처럼

유연함은 소리를 내는 데도 도움이 된다. 목이 뻣뻣하게 굳어 있으면 소리가 나오다가도 도로 들어가고 만다. 분명히 내 귀로 듣긴 들었는데 이 소리가 어디로 갔는지 안 들어올 때가 있다. 머리로는 이해했지만 막상 해보면 그 소리가 아닌 것이다. 그래도 계속 연습하다 보면 어느 순간 탁 뚫릴 때가 있는데 그때 느끼는 희열감은 정말 말로는 이루 표현할 수가 없다.

이면을 조금이나마 깨달은 날도 그랬다. 아, 그때 춘향이가 이런 기분이었겠구나! 심청이 마음이 이랬겠구나! 도무지 알 수 없던 마음이 소리를 통해 이해되고 공감될 때면 천년 묵은 체증이 내려가듯 시원했다. 마음을 알고 부를 때와 모르고 부를 때 나오는 소리는 감정의 깊이 면에서 다를 수밖에 없기 때문이었다.

노래를 부를 때 이면을 생각하는 것이 몸에 배어 있다 보니 트로트를 부를 때도 어떤 분위기에서 어떤 심정으로 불러야 하는지 무대에 서기 전부터 감정이입이 된다. 가수로 걸어 나와 무대에 선 후에야 노래의 주인공이 되는 것이 아니라 무대 뒤에서 노래를 부르기 전부터 그 노래의 주인공이 되는 것이다.

노래하는 사람들이 평소에도 타인의 아픔이나 슬픔 등 감정을 느끼고 받아들이는 공감 능력이 높은 경우가 많은데, 노래를 부를 때마다 사람의 마음을 생각해서 그런 듯하다. 사람의 마음은 복잡하고 미묘하다. 웃고 있어도 울고 있는 경우가 있고, 울고 있어도 눈물 안에 기쁨의 씨앗이 담겨 있는 경우가 있다.

빠른 템포로 진행되는 곡만 들으면 신나는 노래인가 싶어도 가사가 절절한 이별을 얘기하는 경우가 있다. 이런 노래는 어떻게 불러야 할까? 처량하게 불러야 할까, 경쾌하게 불러야 할까? 이면을 생각하지 않으면 표정이든 목소리든 맛깔 나는 표현이 제대로 나오기 어렵다.

〈미스트롯〉에서 많은 노래를 불렀지만 지금까지도 많은 사람들이 인상 깊게 들었다고 이야기해주시는 노래가 '무명배우'다. 윤명선 선생님이 작사와 작곡을 하시고 김정묵 선생님이 편곡을 해주신 노래인데 한 남자의 인생에서 무명 배우가 아닌 주연 배우가 되고 싶은 어느 여인의 애달픈 마음을 표현한 노래다.

이 노래를 처음 듣자마자 마음이 울컥했다. 나 또한 무명 가수로 오랫동안 지내왔기 때문이었다. 마치 내 인생 주제곡 같았기에 꼭 내가 부르고 싶었다. 누구보다 잘 부를 수 있다는 자신감이 차올랐다. 만약 내가 무명 시절을 겪지 않았다면, 햇빛의 밝음에 취해 그늘의 어둑함을 알지 못했다면 그토록 절절한 심정으로 노래를 부르긴 어렵지 않았을까.

'무명배우'가 많은 분들의 심금을 울렸다면 내가 노래를 잘해서라기보다는 저마다 자기 인생의 이면을 생각하고 떠올렸기 때문일 것이다. 누구나 한 번쯤은 자기 삶에서 무명 배우인 때가 있었을 테니.

사랑을 하죠.

Melo 영화 뜨겁던 그 장면처럼

인생의 마지막 컷이라도

나는 좋아요.

- '무명 배우' 중에서

노래를 한다.

아무도 부르지 않은 노래.

내 노래를 부를 수 있다면

인생의 마지막 날이라도

나는 좋겠다.

08

끼를 발견하다

고등학생 때까지만 해도 나는 수줍음을 많이 탔다. 요즘 말로 하자면, 반에서 '인싸'가 되어 친구들과 적극적으로 어울리는 편이 아니라 뒤에 조용히 앉아 있는 '아싸'였다. 그런데 대학교에 오면서 무대에 올라가야 할 기회가 생기면서 자의든 타의든 간에 숫기 없는 성격을 고쳐야 했고, 그러면서 성격이 백팔십도 바뀌었다.

대학은 중앙대학교로 갔는데 작은 오빠가 아쟁 전공으로 이미 다니고 있던 학교였다. 캠퍼스가 안성에 있어서 학교 근처에서 오빠와 함께 자취를 했다. 내가 광주예고로 진학하면서부터 작은 오빠와 함께 자취를 했으니 우리 남매의 '슬기로운 자취생활'의 역사도 제법 장구한 편이다.

물오른 어린 나뭇가지처럼

대학 시절은 쉼없는 공부의 연속이었다. 예술 전공 분야가 있는 다른 대학교도 마찬가지겠지만 중앙대학교는 학교 자체에서 하는 공연이 워낙 힘들었다. 소위 말하는 '빡세다'라는 표현이 딱 어울릴 정도였다. 그렇다 보니 학과 커리큘럼 자체가 빡빡해서 이전처럼 자발적으로 공부를 한다기보다 따라가기 급급한 게 솔직한 심정이었다. 학교 수업이 끝나면 1학년부터 4학년까지 다 모여서 한 달 내내 공연 연습을 했다. 연습량이 어마어마했다. 축제 때 기억을 대학의 낭만으로 꼽는 사람들이 많겠지만 내 머릿속에 축제는 연습, 연습, 또 연습으로만 남아 있다. 그런 만큼 수업과 연습 사이에 간신히 쥐어짜내 노는 시간이 얼마나 달콤했는지 모른다.

중고등학교 시절에 비하면 소리 공부를 치열하게 했다고 하긴 어렵지만 그래도 대학 때 무대에 선 경험이 나중에 도움이 크게 되었다. 소리뿐만 아니라 연기와 무용을 배운 것도 가수가 되었을 때 강점으로 톡톡히 작용했다. 무대에 자주 서본 덕분에 무대에 대한 어색함이나 공포감을 극복할 수 있었고, 자연스러운 무대 매너도 익힐 수 있었다.

대학을 졸업할 때 진로도 크게 고민하지 않았다. 그냥 국악을 쭉 해야지 생각했는데 졸업하고 얼마 되지 않았을 때 선배 오빠가 극단을 만들었다면서 함께하지 않겠냐고 제안했다. 노래를 하며 연기도 할 수 있으니, 거절할 이유가 없었다.

극단에선 어린이 국악 뮤지컬 등 다양한 공연을 했다. 작은 극단이다 보니 모든 단원들이 연기부터 소품과 무대 제작까지 일당백의 역할을 하면서 전천후 기능을 발휘해야 했는데 이때 정말 다양한 경험을 했다. 연기는 물론이고 무대 뒤에서 음향도 하고 소품도 만들고 무대를 설치하는 일도 했다. 나에겐 창조의 시간이었고, 발전의 시간이었다. 대학교 때 무대 경험의 기초를 닦았다면 극단에서는 돈을 받고 일하면서 실력을 한 단계 업그레이드할 수 있었다. 그만큼 책임감도 커졌던 시기였다. 극단은 최초의 사회생활을 경험한 곳이었다.

말수도 별로 없던 진도 꼬맹이가 무대에 서서 관객들을 웃기고 울린다니, 내가 생각해도 신기한 일이었다. 이때 공연했던 작품이 〈아기돼지 꼼꼼이〉였다. 서양 동화 '아기돼지 삼형제'를 우리 상황에 맞게 각색한 어린이 국악 뮤지컬이었다.

내가 맡은 역할은 돈을 좋아하고 새 거를 밝히는 돼지인 '돈돈이'였는데 볼을 발갛게 칠하고 돼지 코와 돼지 귀를 단 채 노란 원피스를 입었다. 공연 내내 무대 위에서 종횡무진 노래하고 춤추느라 한 번 공연을 끝내면 엄청나게 진이 빠졌다. 당시엔 "나는 프로다!"라고 생각했지만 지금 보면 엄청난 '뽀시래기' 시절이었다.

그래도 공연은 즐거웠다. 전공인 국악을 살릴 수 있었던 데다 공연을 한 만큼 돈을 벌었고 아이들이 즐거워하는 모습을 보는 게 너무 좋았다. 무대 안팎으로 배울 수 있는 게 많았기에 정말로 열심히 공연을 했다. 〈아기돼지 꿈꿈이〉는 내게서 끼를 발견하게 된 행운의 무대였다.

아기돼지 꼼꼼이
잘 살고 있니?
너를 만나서 참 행복했어.

우리 언젠가 다시 만날 날 있을까?
그때 또 반갑게 놀자.

09

곡선의 유려함으로

극단 생활을 하던 2010년 어느 날, 엄마에게 전화가 왔다.

"이번에 진도에서 〈전국노래자랑〉 하는데 꼭 나가봐라."

판소리 대회엔 나가라는 소리 한 번 안 하던 분이 〈전국노래자랑〉에 나가라고 전화를 다 하니 이게 무슨 일인가 싶었다. 그래도 빈말로 하는 소리는 아닌 것 같아서 준비를 해서 출전했다. 어떤 곡을 부를까 고민하다가 아끼고 아끼던 노래를 골랐다. 주현미 선생님의 '정말 좋았네'였다.

그런데 덜컥 최우수상을 탔다. 게다가 무대에서 노래 세 곡을 연달아 부르고 말았다. 한 곡은 '정말 좋았네'였고, 또 한 곡은 판소리 〈춘향가〉 중에서 '이별가'였고, 마지막에는 송해 선생님이

시켜서 부른 '진도 아리랑'이었다. 초대가수도 아닌 일반 참가자가 무대에서 세 곡을 연달아 부른 것이다. 이런 일은 굉장히 드물다고 나중에 누군가 얘기해주었던 것으로 기억한다.

지금 그때의 영상을 보면 너무나 앳된 모습이다. 목소리도 심지가 덜 박혀서 지금보다 소리가 가늘다. 그래도 무대 경험이 제법 쌓였던 때라 낯선 무대에 선다는 약간의 긴장감을 제외하고는 크게 떨리진 않았다.

〈전국노래자랑〉은 내 인생의 터닝 포인트였다. 진도 편에서 최우수상을 받고 출전한 연말 결선에서 역시 같은 노래로 우수상을 받은 후 트로트 가수로 데뷔를 하게 되었으니 말이다.

이후 〈전국노래자랑〉에 초대가수로 무대에 서는 영광을 얻었다. 트로트 가수가 꿈꾸는 무대가 두 개 있는데 그중 하나가 바로 〈전국노래자랑〉이고 또 하나는 〈가요무대〉다. 지금까지 노래를 하면서 두 무대에 여러 번 서는 행운을 누렸으니 가수로서 참 행복한 일이다.

그리고 내게는 세 번째 영광의 무대가 있었다. 바로 〈불후의 명곡〉이다. 〈불후의 명곡〉에서 주현미 선생님 편에 나갔는데 이때에도 '정말 좋았네'를 불렀다. 선생님 앞에서 선생님의 노래를 부를 수 있다는 사실만으로도 영광스러운 자리였다. 녹화 전날부터 떨려서 잠도 안 올 만큼 좋았다.

주현미 선생님은 예전부터 정말 사모하고 존경하는 분이어서 트로트를 배우며 연습할 때 선생님의 노래를 가장 많이 듣고 따라 불렀다. 〈전국노래자랑〉에서 '정말 좋았네'를 불러 최우수상을 탔고 이 노래로 연말 결선까지 나가 우수상을 받았으니 내겐 각별한 의미가 있는 노래였다. 다행히 이 노래로 〈불후의 명곡〉에서 우승을 했으니 내게는 평생 '정말 좋았네'라 말할 만한 노래가 되었다.

〈불후의 명곡〉에서 부른 '정말 좋았네'는 특히 편곡이 환상적이었다. 노래 후반부에 '사랑, 사랑, 사랑, 사랑'이라는 노랫말을 4단 고음으로 뽑아내는 편곡이었는데, 어떤 분이 판소리에서 말하는 '시시상청'이란 게 이런 건가 싶어 전율을 느꼈다고 하셨다.

고음을 시원하게 뽑아내는 순간에는 부르는 나도 들으시는 분들도 시원한 카타르시스를 느끼는 듯하다. 그러나 나는 내가 노래를 얼마나 잘 부르는지, 얼마나 높은 음을 찍을 수 있는지 증명하기 위해 지르는 고음은 되도록 내지 않으려고 한다. 고음은 노래 안에서 그 노래가 지닌, 그 노래만의 특별한 정서와 합쳐질 때 힘을 갖는 것이지 맥락도 없이 마구 지르면 노래에 아무 도움이 되지 않는다. 내야 할 때 내는 소리여야 비로소 가치가 있다.

직선처럼 내뻗기만 하는 소리는 매력이 없다. 시원하게 쭉 뻗다가도 굽이치고 휘돌아 감기는 곡선이 있어야 노래에 구성진 깊이와 활달한 넓이가 생긴다.

〈불후의 명곡〉에서 우승한 일이 의미가 큰 이유는 1등을 했기 때문이 아니었다. 롤모델로 삼고 우러러보며 따랐던 선생님 앞에서 부른 노래로 인정을 받았기 때문이었다. 또한 성공에 성공을 거듭하며 일궈낸 우승이 아니라 연습하고 또 연습하면서 갈고닦은 실력으로 인정받았기 때문이었다.

묵묵히 인내하며 견디고 버텼던 시간은 내 삶에 곡선의 흔적을 남겼다. 언뜻 보면 곡선은 멀리 돌아가는 것처럼 보이고, 목표에 빨리 가닿는 데 방해가 되는 것처럼 보인다.

그러나 곡선은 우리 삶에 터닝 포인트를 만들어준다. 터닝 포인트는 말 그대로 전환점이라는 뜻이다. 앞으로도 나는 서둘러 가려고 하지 않을 생각이다. 남들보다 빨리 어딘가에 도달하려고 아등바등거리며 살고 싶진 않다. 천천히 가더라도 곡선의 유려함을 지닐 때 크고 넓은 시선으로 삶을 볼 수 있다고 믿기 때문이다.

물오른 어린 나뭇가지처럼

앞날을 알 수 없다는 이유로 불안해하지만

미래가 결정되지 않았다는 사실은

오히려 큰 위안이 된다.

인생은, 끝이 뻔히 보이는 직선이 아니라

터닝 포인트가 존재하는 곡선이다.

정해진 길을 가는 사람이 아니라

길을 만들며 가는 사람이고 싶다.

10

비녀를 만들며

2012년에 트로트 가수로 데뷔했다. 가수 데뷔만 하면 눈앞에 꽃길이 펼쳐질 줄 알았다. 불러주는 무대도 많고 내 노래가 많은 분들에게 사랑을 받을 거라고 믿었다. 그런데 현실은 만만치 않았다. 분명 '송가인'이라는 이름이 있었지만 당시 나는 그저 한낱 무명 가수에 불과했다.

첫 번째 소속사를 나와 두 번째 소속사에 들어갔지만 그곳에서도 가수로 잘 풀리질 않았다. 간간이 행사 무대에 서고 방송에도 나갔지만 일이 없는 날들이 길게 이어졌다. 월세도 내야 했고 끼니도 해결해야 했는데 몇 달씩 수입이 없는 때도 있었다. 그 시기에도 마음이 흐트러지지 않게 연습은 거르지 않고 꾸준히 했다. 하루는 방에 우두커니 있는데 이러다간 굶어 죽을지도 모른다는 현실적 압박감이 느껴졌다. 노래를 부르는 일로 돈을 벌고 싶은 마음은 간절했지만 마음만으로 되는 일은 아니었다. 그렇다고 성인이고, 가수라는 직업도 있는데 차마 부모님께 손을 벌릴 수는 없었다. 당장 할 수 있는 일을 해서 돈을 벌어야 했다.

'뭘 해야 할까? 내가 뭘 잘하지?'

어렸을 때부터 집안일과 농사일을 많이 돕고 자라서인지 일하는 것에 대한 두려움은 없었다. 하지만 행사나 방송 스케줄이 잡힐지도 모르니 고정으로 일하는 아르바이트는 하기 힘들었다. 그렇지 않았다면 편의점이나 패스트푸드점, 커피숍에서라도 일했을 것이다. 시간에 매이지 않으면서 돈을 벌 수 있는 일이 무엇이 있을까? 고심 끝에 좋은 아이디어가 떠올랐다.

국악 무대에 설 때마다 한복이나 장신구가 다양하게 필요했다. 필요한 만큼 다 살 수는 없어서 대여해서 입거나 리폼을 하곤 했다. 그래도 아쉬운 건 머리에 꽂는 비녀나 뒤꽂이 같은 장신구였다. 마음에 드는 물건은 눈이 휘둥그레질 만큼 가격이 비쌌고, 가격에 맞추자니 물건이 마음에 들지 않는 경우가 많았다. 적당한 선에서 구입해 사용했기에 늘 아쉬움이 남곤 했다.

"그래, 비녀를 만들어 팔자."

좋은 재료로 잘 만들어 시중보다 싸게 팔면 괜찮을 것 같았다. 당장 동대문시장에 재료를 사러 갔다. 천국이 따로 없었다. 진주 한 가지만 해도 종류가 다양했고 색깔이며 형태며 예쁜 원석들이 너무 많았다. 시간 가는 줄 모르고 구경을 하며 마음에 드는 재료들을 하나둘 담다 보니 재료비만 몇십만 원이 훌쩍 넘었다. 수중에 현금이 없으니 카드로 계산해야 했다. 이걸 정말 다 사야 하나, 비싼 재료는 빼야 하나 망설였지만 호기롭게 카드를 내밀었다. 사실은 카드를 잡고 있던 손이 살짝 떨렸다.

'만들기만 하고 하나도 안 팔리면 어떡하지?'

하지만 일을 지르는 데는 두려움이 없는 나였다. 일단 해보기로 했으니 기왕 만드는 거 '기깔나게' 만들자 생각했다. 양손 가득 재료를 사 들고 신이 나서 집으로 돌아왔다.

그날부터 가내수공업이 시작되었다. 어찌나 재미있는지 밥 먹는 것도 잊어버릴 만큼 집중해서 만들었다. 뭐 하나에 꽂히면 끝장을 보는 성격이 비녀를 만들 때도 유감없이 발휘되었다.

SNS 계정을 만들어서 사진을 찍어 올렸다. 하나둘 올린 사진을 보면서 피식 웃었다. 내가 봐도 제법 잘 만든 것 같았다. 어차피 비싸게 팔 생각도 하지 않았기에 누가 제발 주문만 좀 해주면 좋겠다고 생각했다.

그런데 깜짝 놀랄 일이 일어났다. 생각보다 반응이 폭발적이었던 것이다. '하나쯤은 팔리긴 하겠지'라고 낙천적으로 생각했지만 그렇게 주문이 많이 쏟아질 줄은 몰랐다. 당시 국악인인 지인들이 내가 만든 비녀를 보고 싸고 예쁘다며 사겠다고들 난리였다. 하루는 한 후배가 나를 도와주고 싶었는지 본인의 부모님이 하는 학원에 가서 제자들에게 팔지 않겠냐고 했다. 결과는 인기 폭발이었다.

심지어 알던 한복집에 갔다가 비녀를 만들어 팔고 있다고 사장님께 얘기했더니 한번 보자고 하셨다. 물건을 보여드리니 바로 사겠다고 하셨다. 세상에나, 납품을 할 한복집까지 생긴 것이다. 노래로는 대박이 안 났지만 비녀로는 대박이 나다니!

참새가 방앗간에 들르듯 동대문시장으로 출퇴근하다시피 들러 재료를 샀다. 입소문을 탔고 덕분에 단골도 많이 생겼다. 딩동, 주문이 왔다는 메세지를 받으면 콧노래가 저절로 나왔다. 무료 택배로 보내드리면서 비즈로 만든 귀고리 등 서비스도 아낌없이 넣었다. 물건을 직접 보고 싶다는 손님이 있으면 캐리어에 가득 담고 나가 팔기도 했는데 눈으로 직접 본 손님들은 예쁘다는 감탄사를 연발하며 대량 구매를 해가시곤 했다. 장사가 너무 잘되니 아예 가게를 하나 얻어 운영할까 생각했지만 이내 〈미스트롯〉에 출전하게 되어 그 마음은 자연히 접었다.

〈미스트롯〉에 출전하던 초기에도 비녀를 만들어 파는 일을 계속했다. 그 시기에 좋은 인연도 만났다. 래퍼 자이언트 핑크가 비녀를 사고 싶다고 연락을 해온 것이다. 물론 그녀는 내가 누군지 모르고 있었다. 경연곡을 준비하는 일만으로도 시간이 빠듯해서 잠시 망설였지만 그래도 내가 만든 비녀가 정말 마음에 들어 꼭 사고 싶다는 그 마음을 저버릴 수가 없었다. 마지막 거래다 생각하고 큰 트렁크 가득 물건을 싣고 약속 장소로 나갔다. 그녀는 나를 보고 깜짝 놀랐다.

"가인 씨, 팬이에요. 열심히 응원하고 있어요!"

그 일을 인연으로 우리는 친구가 되었다. 그녀가 결혼을 했을 때에도 기쁜 마음으로 결혼식에 참석해 축가를 불러주었다. 덕분에 친척들과 가족들이 난리가 났고, 시어머니의 사랑도 듬뿍 받고 있다고 하니 몹시 기뻤다.

비녀를 만들어 팔던 시기는 가수로서 굉장히 힘든 때였다. 그래도 좌절하기보다 뭔가 할 수 있는 것을 하길 잘했다는 생각이 든다. 노래를 못 하게 되는 상황이 왔다고, 노래로 돈을 벌기 어려운 상황이라고 주저앉아 울 수만은 없는 노릇이 아닌가. 아무리 힘든 순간에도 매일 할 수 있는 일을 찾아서 했고, 작지만 소소한 행복을 찾으려고 노력했다. 내가 할 수 있는 것을 하는 것. 그것이 힘든 시간을 버티고 견디는 힘이 되었다.

만약 내가 그때 비녀 만드는 일을 하지 않았다면 어땠을까? 마음이 더 힘들어져 우울증을 겪었을지도 모른다. 노래로 잠깐 주목받은 경험에만 취해 아무것도 하지 않고 언제 올지 모를 기회만 기다리고 있었다면 상황은 더욱 나빠졌을 것이다. '내가 그래도 〈가요무대〉에도 서고 〈전국노래자랑〉에 초대가수로도 나갔던 사람인데 노래 말고 다른 일은 못 해'라고 생각했다면 비녀를 만드는 즐거움을 누리지 못했을 것이다.

남들이야 어떻게 생각할지 몰라도 비녀를 만드는 일은 순수하게 재미있었다. 원석을 골라 색깔의 조합을 고민하며 내 손으로 한 땀 한 땀 만들어가는 과정이 뿌듯했다. 머릿속으로만 상상하던 디자인이 눈앞에 색깔과 형태를 갖춘 실체로 드러나기 시작할 때의 설렘은 한 구절 한 구절 공들여 배우며 판소리 한 대목을 완성해나가는 뿌듯함과 비슷했다.

워낙 낙천적인 기질이 강해서인지, 무언가에 몰입을 잘해서인지 모르겠지만 비녀 만드는 일을 한번 잡았다 하면 하루 종일 시간이 어떻게 가는 줄도 몰랐다. 한번은 아침 7시부터 만들기 시작했는데 정신을 차려 보니 다음 날 새벽 5시였다. 배도 고팠지만 무엇보다 허리가 끊어질 정도로 아팠다. 그리고 하도 오랫동안

고개를 숙인 채 비녀를 만들어서인지 그때 시력이 좀 떨어진 것 같기도 하다.

지금은 도저히 짬을 낼 수 없어서 판매 중지 상태지만 아직도 가끔 댓글에 판매 문의가 달릴 때가 있다. 내가 정성을 들인 물건을 사랑해주는 분들이 참 감사하다. 사두고 못 만든 재료가 잔뜩 있으니 언젠가 꼭 시간을 내서라도 계속해보려고 한다. 본업이 아니라 취미로. 복잡한 마음을 다스리며 열중하기엔 최고의 작업이니 말이다.

한 땀 한 땀 손으로 비녀를 만드는 일은
정과 성을 들이는 일이었다.
내가 만든 비녀를 사가며
환하게 웃는 사람들이 좋았다.

누군가를 환하게 하는 일.
내가 노래를 사랑하는 이유.

Part 3

〈미스트롯〉 출전기

어떤 순간에도
사랑과 두려움 중 한쪽을 선택할 수 있었다.
두려움은 노래를 그만두는 일이고
사랑은 노래를 계속 부르는 일이었다.
두려움에 압도당할 때마다
나는 있는 힘을 다해 사랑을 선택했다.

11

동트기 전이 가장 어둡다

〈전국노래자랑〉에서 주현미 선생님의 노래를 부른 인연으로 박성훈 작곡가님께서 연락을 주셨다. 트로트 가수로 앨범을 내보자는 제안이었는데 펄쩍 뛰어오를 만큼 기뻤다. 국악을 하다가 트로트로 장르를 바꾸려는 내게 친구들은 하나같이 "아깝다"라는 반응을 보였지만 나는 더 많은 무대에서 노래를 부르고 싶다는 마음이 가장 컸기에 최선을 다해 데뷔를 준비했다.

사실 트로트는 내게 완전히 낯선 장르는 아니었다. 어릴 때부터 매주 일요일이면 온 가족이 모여서 〈전국노래자랑〉을 봤고 기타를 잘 치던 아빠가 자주 부르시던 노래 또한 트로트였다. 대학때도 친구들과 노래방에 가면 트로트를 곧잘 부르곤 했다.

〈미스트롯〉출전기

대학 때 친구들은 다들 소리 공부를 탄탄하게 해왔던 터라 트로트도 구성지게 잘 불렀다. 당시 내 십팔번은 '칠갑산'이었는데 요즘도 친구들이 "대학 때 네가 부르던 '칠갑산'을 잊을 수가 없다. 진짜 기가 막히게 불렀다"라고 말한다.

그렇게 부푼 꿈을 안고 신인 가수로 데뷔했지만 피부에 와닿을 만큼 큰 반응은 없었다. 오히려 가수로 데뷔하기 전보다 마음은 더 힘들었다. 데뷔 준비를 할 때는 데뷔에 대한 희망으로 힘든 시간을 견딜 수 있었지만 막상 데뷔를 하고 나자 현실은 생각보다 훨씬 더 고단하고 냉혹했다.

서포트를 해줄 매니저가 없어 의상부터 메이크업까지 혼자 알아서 해야 하는 것은 물론이고, 지방 행사를 갈 때도 짐을 한가득 챙겨 대중교통을 이용해야 했다. 대기실이 없는 경우도 많았으며 심지어 의상을 갈아입을 장소가 마땅치 않아 좁은 창고와 천막, 심지어는 화장실을 이용할 때도 있었다.

한번은 겨울에 지방 행사에 갔는데 대기실이 야외에 있는 천막이었다. 바람에 천막이 펄럭이는 곳에서 의상을 갈아입을 수는 없는 노릇이었다. 할 수 없이 의상을 챙겨 들고 화장실을 찾았다. 다행히 여자 화장실이 별도로 있었지만 옷을 갈아입고 목걸이와 귀고리 등 액세서리까지 챙겨서 걸치기에는 공간이 너무 협소했다. 그 옆에 일반 화장실보다는 그나마 넓은 장애인 화장실이 있었다. 거기서 얼른 갈아입고 나와야겠다는 마음으로 들어갔는데 생각보다 시간이 꽤 지체됐다. 그러던 중에 밖에서 누군가가 문을 쾅쾅 두드리며 소리쳤다.

"안에 누구야? 빨리 나와요! 이상한 짓 하는 거 아냐?"

"아, 아니에요. 옷 좀 갈아입고 있어요."

"옷을 왜 여기에서 갈아입고 있어? 당장 나오라니까!"

"저 진짜 이상한 사람 아니에요."

"청소해야 하니까 잔말 말고 빨리 나와요!"

아마도 청소하시는 분이 장애인 화장실 안에서 부스럭거리는 소리가 한참 동안 들리니 수상쩍게 여기신 모양이었다. 옷을 갈아입다 말고 나갈 수도 없어서 문 너머로 목청을 높여 사정을 설명했다.

"저 여기 행사에 온 초대가수인데요, 옷을 갈아입을 데가 없어서요. 금방 나갈게요. 죄송합니다."

서둘러 옷을 갈아입고 물건을 챙기는 둥 마는 둥 하고 나왔다. 고개를 몇 번이나 숙이고 돌아서는데 갑자기 눈물이 핑 돌았다. 그동안 참고 참았던 설움이 한꺼번에 북받쳐 올랐다. 눈물이 한 방울 떨어지면 걷잡을 수 없을 것 같아 입술을 꽉 깨물었다. 감

〈미스트롯〉 출전기

정을 추스르고 평소처럼 무대를 잘 끝내는 게 더 중요했다.

다른 초대가수들은 차에서 대기하고 있다가 순서가 오면 무대에 올라 노래를 하고 서둘러 차로 돌아갔다. 매니저가 옆에서 따뜻한 음료를 챙겨주는 모습이 부러웠다. 그러나 내 옆에는 아무도 없었다.

대기실 천막으로 돌아와 노래 가사를 곱씹으며 어서 빨리 내 이름이 불리길 기다렸다. 추위도 추위였지만 서러움 때문에 울지 않고 얼마나 버틸 수 있을지 자신이 없었다. 천막 사이로 차가운 바람이 스며들었다. 추위에 오들오들 떨고 있는 내내 내가 지금 여기에서 뭘 하고 있나 하는 생각만 들었다.

이때 일을 생각하면 마음 한쪽에 서러움이 조금 남아 있다. 마치 아무것도 모르는 하얀 눈송이가 제 눈에 아름다워 보이는 세상을 동경해 부푼 꿈을 안고 하늘에서부터 내려왔는데, 자기 자리를 찾지 못하고 땅에 떨어진 후 차가운 응달에서 더럽고 딱딱한 얼음덩이가 되어가는 것 같은 장면이 떠오른다.

이후에도 상황은 나아지지 않았다. 그것도 노래냐는 비아냥거림을 듣기도 했고, 내 외모를 비하하는 말도 들었다. 심지어 트로트 가수로 절대 성공하지 못할 것이라는 말을 듣기까지 했다. 노래 부르는 것이 좋아서 가수가 되었지만 얼마나 많은 시간을 버티고 견뎌야 할지 알 수 없었다.

그럴수록 내가 할 수 있는 것은 단 하나, 연습에 매진하는 일이었다. 아침부터 밤까지 연습실에서 꼼짝하지 않았다. 시대를 거슬러 올라가 1930년대부터 당대를 풍미했던 유행가를 공부했다. 수많은 명곡들을 그런 식으로 공부해나가면서 점점 내게 잘 맞는 노래가 무엇인지 알 수 있었다. 취향도 취향이지만 내 감성에는 세미 트로트보다 정통 트로트가 맞는다는 걸 깨달았다. 관객의 흥을 돋우는 노래도 가수에겐 필요하지만 그런 노래만 레퍼토리로 삼는 것이 나와는 어울리지 않는다는 생각이 들었다. 깊은 맛이 배어나는 정통 트로트를 부를 때 내가 가진 것을 더 잘 보여줄 수 있었기 때문이다.

'과연 내게도 태양이 떠오를 날이 있을까?'

아침이 영원히 찾아오지 않고 깊은 밤만 계속될 것 같은 날들이었다. 가진 것이라곤 목청밖에 없으니 매일매일 지독하게 연습했다. 소리 공부를 할 때보다 이때 더 열심히 노래를 불렀다고 해도 과언이 아니었다.

"열심히 하다 보면 반드시 기회가 올 거야!"

자신에게 말하고 또 말했다. 그러다가 마침내 〈미스트롯〉이라는 기회를 만났다.

살다 보면 하루에도 몇 번씩

희망과 절망을 오가는 그네를 타는 날이 있다.

절망이 정말 무서운 이유는

삶의 가혹한 채찍질 때문이 아니라

내가 꾸는 꿈이 헛된 것이라 하며

미래를 믿지 못하게 만들기 때문이다.

하지만 꼭 기억하면 좋겠다.
절망으로 건너갔던 순간에도
그네의 한쪽 끝을 희망 쪽으로 슬며시 밀어두면
거기가 새로운 출발점이 된다는 것을.

12

내가 잘할 수 있는 것

유난히 흐렸던 어느 겨울날, 〈미스트롯〉 예선을 보러 갔다. 생각보다 훨씬 많은 사람들이 오디션장에 와 있었다. 이미 이름과 얼굴이 알려진 사람들을 볼 때마다 '와, 저런 가수들도 여기에 오는구나' 하며 놀랐다. 동시에 '내가 과연 이 쟁쟁한 경쟁을 통과할 수 있을까' 하는 회의감이 절로 들었다. 지금껏 어떤 자리에서든 최선을 다해왔다. 〈미스트롯〉도 마찬가지 마음가짐이었다. 하지만 막상 현장에 와보니 최선을 다해도 떨어질 수 있겠구나 하는 생각이 들었다.

다양한 분야에서 노래를 부르던 사람들이 모였고, 그중에서는 이미 현역 무대에서 엄청난 실력을 인정받는 분들도 많았다. 노래면 노래, 춤이면 춤, 무대 매너면 무대 매너, 외모면 외모, 다들 출중한 사람들만 참가했기에 저절로 주눅이 들었다. 오랜 무명 생활로 과연 내가 가수를 계속하는 것이 맞는지 회의가 들던 참이었다. 오디션을 볼 무렵 나의 자존감은 바닥을 치는 것으로도 부족해 바닥을 뚫고 끝없이 들어가는 중이었다.

그런데도 본선 무대에 진출하고 결승에 나가 최종 우승을 가리는 무대에 끝까지 설 수 있었던 원동력은 무엇이었을까. 내가 배짱이 유달리 두둑한 사람이어서는 아니다. 남들보다 월등한 실력을 갖춰서도 아닐 터다. 스스로 생각할 때 두 가지가 버팀목이 되었던 것 같다. 첫 번째는 평소에도 해야 할 일이라면 힘들어도 어쩔 수 없다, 그냥 해내는 수밖에 없다고 스스로를 다독이며 성실하게 임하는 습관 때문이었고, 두 번째는 내가 잘할 수 있는 것에 집중했기 때문이었다. 흔들리지 않고 눈앞에 놓인 일에 집중한 것이 결과적으로 나를 살렸던 것 같다.

'비록 무명 가수지만 그래도 공중파에 몇 번 나간 가수인데 떨어지면 무슨 창피냐. 실력이든 외모든 나보다 월등히 뛰어난 사람들만 올 텐데 과연 내가 예심이나 붙을까?'

이런 생각을 하지 않았던 것도 아니다. 그러나 비녀를 만들어 팔 때를 되새겨보았다. 평생 노래를 부르며 살고 싶다고 생각하면서도 수입이 없으니 뭐라도 해야 한다는 마음으로 했던 일이었다. 비녀를 만들고 파는 일은 재미있었지만 내 삶의 중심에 놓고 싶은 일은 아니었다. 어떻게든 내가 좋아하는 노래를 불러 인정받고 싶었다.

첫 예심을 통과한 사람이 100명이었는데 고등부, 대학부, 걸그룹부, 직장부, 마미부, 현역부 등 몇 개의 팀으로 나뉘어 있었다. 드디어 방송에 나가는 예선 무대가 열렸다. 내가 속한 조는 현역부 A조였는데 하루에 몇십 명씩 노래를 불러도 심사하는 데 지켜보는 것만으로 지칠 지경이었다. 이틀을 꼬박 새다시피 한 채 마침내 무대로 나가 노래를 부른 시각은 새벽 3시 반쯤이었다. 긴장을 놓을 수 없었다. 현역부는 A, B, C 세 조가 있었는데 C조는 전원 탈락이라는 믿지 못할 일이 일어났다. 그 모습을 현장에서 지켜보면서 예선 합격만 하면 좋겠다고 마음속으로 간절하게 빌었다.

아직도 첫 무대에 섰던 기억이 생생하다. 자기소개를 하는데 너무 떨려서 준비했던 인사말도 못 해 더듬거렸다. 떨리는 마음이 심사위원석에도 그대로 전달이 되었는지 심사위원들이 괜찮다고, 괜찮다고 하며 편안한 분위기를 만들어주셨다. 덕분에 겨우 정신을 차릴 수 있었다.

"전라도에서 탑 찍어불고, 서울로 탑 찍으러 온 송가인이어라."

얼굴은 웃고 있었지만, 웃어도 웃는 게 아니었다. 바로 앞에서 현역부 C조가 전원 탈락한 초유의 사태가 벌어졌기 때문이었다. 나 또한 탈락할지도 모를 일이었다. 내가 긴장한 모습을 보고 누군가는 일부러 연기한 게 아니었냐고 하는데 그 상황에서 연기고 자시고 간에 무언가를 일부러 한다는 게 더 어려운 일이었다.

준비한 노래는 '한 많은 대동강'이었다. 수천 번 넘게 부른 노래였고, 그 어떤 노래보다 자신 있게 부를 수 있었지만 멘트 실수에 이어 노래까지 틀릴까 봐 노심초사하며 흘러나오는 전주에 집중했다.

"한 많은 대동강아, 변함없이 잘 있느냐."

처음 한 소절을 부르자마자 심사위원석에서 여러 개의 하트가 동시에 다다다닥 켜졌다. 긴장감이 한층 커졌다. 노래에 몰입하기 위해 눈을 감았다. 잠시 후 눈을 뜨니 올 하트가 터지는 화면이 보였다. 저절로 눈물이 났다. 보고서도 믿기지가 않았다.

'아, 다행이다. 다행히 예선은 통과했구나.'

창피를 당하지 않아서 다행이라고만 여겼다. 그러나 더욱 놀랄 일은 그다음에 일어났다. 100인 예선 진 후보로 내 이름이 불린 것이었다. 진 후보 두 명 중 한 명이 된 것만으로도 충분히 영광스러웠기에 진이 되지 않아도 괜찮다 생각했다. 그런데도 발표를 기다리던 순간에 얼마나 떨었는지 모른다. 곧이어 김성주 MC의 목소리가 힘차게 울려 퍼졌다.

"〈미스트롯〉100인 예선 진은 바로 송가인 씨입니다!"

이름이 호명된 순간, 그동안의 일들이 주마등처럼 스쳐지나 갔다. 비록 예선 진이었고, 〈미스트롯〉은 이제 시작이니 본선에서 최종 우승을 한 것도 아니었건만 가슴이 벅차올랐다. 정말로 끝까지 잘하고 싶었다. 오직 실력만으로 승부를 볼 수 있는 무대라면 내 모든 실력을 다 꺼내 보여주고 싶었다. 첫 무대에서도 진심을 다해 노래를 불렀지만 진이 되고 나니 각오가 더욱 뜨겁게 불타올랐다. 진검 승부를 펼치리라 마음먹었다. 그렇게 나의 〈미스트롯〉 출전기의 막이 올랐다.

눈앞의 일에 집중하는 것,

무대에서 떨릴 때면 가만히 호흡에 집중한다.

세상에서 가장 중요한 일이

숨 쉬는 일인 것처럼.

결국 노래를 끝까지 마치는 것은 내 몫이다.

그곳이 어떤 무대이고,

눈앞에 있는 사람들이 누구이든,

내가 노래하는 순간의 무대는

오롯이 혼자 책임져야 하는 곳이다.

13

역전의 여왕

〈미스트롯〉은 내 인생에서 다시없을 만큼 엄청난 사건이었다. 그리고 이제야 하는 얘기지만, 두 번은 절대 못 할 것 같다. 몇 달간 치러진 그 과정은 몇 년 치의 시간을 압축하기라도 한 듯 밀도가 높았다. 무대마다 다른 노래와 퍼포먼스를 준비해야 하는 것은 물론 개인 미션과 팀 미션을 해내야 했고, 결과 역시 꼴등이 되었다가 1등이 되기도 하는 등 예측할 수가 없어 매 순간 냉탕과 온탕을 정신없이 오갔다.

가장 힘든 것은 댄스였다. 재롱잔치 율동 수준이었던 춤을 본격적으로 추자니 배워야 할 게 한두 가지가 아니었다. 노래 연습에 춤 연습까지 더한 강도 높은 일정을 소화하자니 스트레스가 심해 눈물이 난 적도 많았다. 당시 나는 매니저는커녕 소속사도 없던 상태였기에 필요한 준비를 스스로 해야 하는 것도 벅찼다. 무대에서 부를 노래에 맞춰 의상과 헤어스타일 등을 준비하는 일을 혼자서 하다 보니 방송이 없는 날도 눈코 뜰 새 없이 바빴다. 인터넷에서 몇만 원에 산 원피스를 리폼해서 입고 무대에 오르기도 했다. 너무 힘든 나머지 이렇게 힘든 일인 줄 알았더라면 애초에 오디션에 나갈 엄두도 못 냈을 거라 생각하기도 했다. 그러고 보면 인생이 참 신기하다. 앞날을 알지 못하기에 도전도 할 수 있다는 사실이 말이다.

〈미스트롯〉을 하면서 펼쳤던 미션들은 아직도 하나같이 생생한데 그중에서도 특히 잊기 힘든 무대가 군부대 미션이다. 열심히 준비해서 최고의 기량을 보였다고 생각했는데 성적은 꼴찌였다. 순위를 매기는 프로그램이니 어떤 팀은 최고 점수를 받고, 어떤 팀은 최하위 점수를 받게 될 수밖에 없지만 우리 팀이 일등은 아니더라도 설마 최하위 점수를 받을 줄은 상상도 못 했다. 팀전원이 탈락할지도 모르는 절체절명의 위기였다.

어려운 순간마다 서로를 격려하며 여기까지 왔는데 다섯 팀 중에서 5위라니, 오기가 확 생겼다. 다행히 기회가 남아 있었다. 각 팀마다 한 명씩 대표로 나가 플러스 점수를 받으면 팀 점수에 합산할 수 있었다. 우리 팀의 대표는 나였는데 성적을 올려 역전

시킬 마지막 기회이자 단 한 번의 승부였다.

그때는 무거운 긴장감과 무리한 스케줄 때문에 목이 많이 망가진 상태였다. 심지어 성대결절까지 온 상태라 고음이 제대로 나올지 걱정스러웠다. 살면서 겪어본 최악의 목 상태였다. 더군다나 부르기로 한 곡이 소찬휘 선배님의 '티어스'였다. 고음이 한없이 뻗어나가는 곡인 데다 록의 흥취를 살려 힘 있게 불러야 맛이 제대로 사는 노래였다. 평소 거의 부른 적이 없는 노래였지만 〈미스트롯〉을 위해 단시간에 연습을 했다.

좋지 않은 몸 상태 탓에 몹시 긴장한 데다 팀을 살려야 한다는 부담감까지 더해져 커다란 압박감이 순식간에 밀려왔다. 못할 것 같은 마음이 파도처럼 덮쳤다. 무대 뒤에서 한없이 걸어 다녔다. 심호흡을 하고 무대에 올랐다. 나 혼자의 무대가 아니라 팀이 함께한다는 마음으로 임했다. 컨디션은 최악이었지만 끝까지 죽을힘을 다해 역전시키고 싶었다. 노래를 시작하기 전 힘껏 손을 뻗어 올리는 동작을 취하는 순간 엄청난 함성이 귓가에 울렸다. 그렇게 힘찬 함성은 살면서 처음이었다. 가슴이 두근거렸다. 기분 좋은 흥분이 온몸을 감싸 목이 아픈 것도 완전히 잊고 노래에 빠져들었다.

"차라리 나를 미워해."

노래 초반에 나오는 가사가 끝나자마자 거대한 메아리 같은 함성이 들렸다.

"-위해, -위해, -위해."

그날의 관중이었던 군인들이 힘껏 따라 부르는 소리였다. 그렇게 우렁찬 '떼창'은 난생처음이었다. 트로트 무대에 서면서 흥이 많은 관중은 많이 봐왔지만 그날의 반응은 정말로 '역대급'이었다. 노래로 대동단결한다는 기분이 이런 것이구나 싶었다. 마지막까지 힘을 내어 무사히 노래를 부를 수 있었던 것은 그날 관중들이 보내주신 어마어마한 에너지가 내게 전달되었기 때문이었다. 지금 떠올려도 전율이 느껴질 만큼 엄청난 경험이었다.

그리고 우리 '트롯여친' 팀은 1등을 차지했다. 전원 다음 라운드 진출이었다. 1등으로 호명된 후 동료들과 껴안고 펑펑 눈물을 쏟았다. 기쁘고 좋으면서도 왜 그렇게 서러웠는지 모르겠다. 동시에 통쾌하기도 했다. 모든 감정을 다 끌어내 노래를 불렀다는 충만함이었을까. 뭔가 내 안에서 오랫동안 응어리졌던 어떤 마음이 쑤욱 빠져나간 듯 속이 후련하기도 했다.

〈미스트롯〉을 통해 '역전의 여왕'이라는 별명이 붙었다. 시청자 입장이나 제작진 입장에선 극적으로 보였을지 모르나 그 과정을 고스란히 겪어야 했던 나는 당시 누구한테 말도 못 하고 속앓

이를 했다. 지나고 나니 그런 일들도 추억처럼 여겨지지만 정말 그땐 하루하루 롤러코스터를 타는 기분이었다.

하지만 이때의 경험으로 내가 한층 성장한 것만은 사실이었다. 〈미스트롯〉에 출전하기 전까지 나는 우물 안 개구리였다. 소속사 연습실에서 연습만 주야장천 하다 보니 내 실력이 과연 어느 정도인지, 다른 사람에 비해 무엇을 잘하고 무엇이 부족한지 알지 못했다. 그래서 〈미스트롯〉에 출전할 때도 결과를 전혀 예측하지 못했다.

'내 실력이 가장 부족하고 참가자들 중에서 노래를 제일 못할지도 모른다. 예선에서 떨어질 수도 있다. 하지만 길이 보이니 가보자. 안 가면 아무 일도 안 생기지만 가보면 무슨 일이라도 생길 거다. 그러니 깨질 것을 각오하고 나가보자!'

이렇게 생각하고 두려움을 무릅쓰고 머물러 있던 작은 우물에서 나왔다. 그런데 막상 나와보니 내 실력이 생각보다 아주 나쁘지 않다는 것을 알았다. 〈미스트롯〉이라는 큰 무대에서도 한번 해볼 만하다는 생각이 들었다.

그런데 겪어보니 〈미스트롯〉도 또 하나의 우물이었다. 매번 새로운 우물을 만나고 그 우물에서 더 큰 세상으로 나오고, 그 세상이 또 하나의 우물인 것을 깨닫는 것이 지금까지 반복해온 일이다. 내가 머물던 우물이 세상의 전부가 아니라는 것을 알게 되어 얼마나 행복한지 모른다. 지금도 나는 여전히 우물 안 개구리다. 더 큰 세상으로 나아갈 기회가 생겼을 때 현재의 우물이 나를 키워준 것에 감사하면서, 동시에 밖으로 나갈 수 있다는 사실에 감사하고 싶다. 그리고 새로운 우물에서 무언가를 또 배울 수 있다는 사실에 가슴이 설렌다.

무언가를 하면 무언가가 생긴다.

아무 일도 안 하면 아무 일도 생기지 않는다.

돌 하나가 다리를 만들고

다리 하나가 만들어질 때마다

내가 꿈꾸는 세상으로 이동할 수 있는

새로운 통로가 만들어진다.

14

혼자서만 잘되면 무슨 재미여

〈미스트롯〉을 하는 동안 많은 일들이 있었다. 생전처음 겪는 여러 일들로 기쁠 때도 있었고 슬플 때도 있었고 흥이 날 때도 있었고 속이 상할 때도 있었다. 그런 격한 감정의 파도들이 순간순간 밀려들어왔는데도 그 감정에 매이지 않고 금방 훌훌 털어버린 채 다시 무대에 설 수 있었던 것은 함께하는 동료들이 있었기 때문이다. 얼굴을 마주할 때마다 누구보다 먼저 반갑게 인사하며 얼싸안았고, 별것 아니더라도 주머니에서 뭐 하나라도 더 나누려 하는 등 힘든 순간에도 서로를 아끼고 챙겼다.

물론 〈미스트롯〉이 경연대회인 만큼 경쟁은 피할 수 없다. 함께하는 합동 무대건 혼자 하는 솔로 무대건 매 순간이 피 말리는 긴장의 시간이었다. 그렇다고 따뜻한 말 한마디를 건네거나 살갑게 안부를 챙기며 서로를 북돋우는 일에 소홀하고 싶지 않았다. 내가 먼저 마음을 주는 게 좋고 편하기도 했거니와 각개전투를 하듯 동료를 경쟁자로 내모는 상황이 내가 살아왔던 삶과는 맞지 않아 몹시 힘들었기 때문이다.

하루는 방송 녹화를 앞두고 대기실에서 다 같이 밥을 먹고 있는데 저쪽에서 웅성웅성하는 소리가 들렸다. 무슨 일인가 싶어 가보니 김소유가 의상에 문제가 생겨 곤란해하고 있었다. 면으로 된 원피스를 무대 의상으로 준비해왔는데 무대와 어울리지 않았던 것이다. 도무지 그냥 보고 있을 수만은 없었다. 평소에 옷이나 액세서리들을 조금 더 넉넉하게 갖고 다니는 편이라 혹시나 해서 여벌로 준비한 옷을 꺼내 보여주었더니 다행히 소유가 마음에 들어 하고 잘 어울려 빌려줄 수 있었다.

소유는 아끼는 후배이기도 했지만 그날은 정말 중요한 날이었다. 두 사람 중 점수가 낮은 사람이 현장에서 바로 탈락하는, 일명 죽음의 대결인 일대일 데스매치를 치르는 날이었다. 게다가 그날 소유가 부를 노래는 어머니를 위한 노래였다. 더없이 멋지게 빛나야 할 자리였는데 의상이 볼품없다면 얼마나 속상하겠는가. 소유는 다행히도 내가 빌려준 보랏빛 의상을 입고 그날 무대를 무사히 마쳤다.

다만 이날이 내게는 씁쓸한 기억으로 남아 있다. 일대일 데스매치에서 홍자 언니에게 패배한 날이기 때문이다. 예선 100인 가운데 진에 당선된 덕분에 데스매치 상대를 결정할 수 있는 선택권이 주어졌을 때 나는 홍자 언니를 지목했다. 이유는 딱 하나였다. 홍자 언니랑 팀 미션도 함께하면서 가까이 지냈던 데다 실력이 훌륭했기에 함께 좋은 무대를 꾸밀 수 있을 것 같아서였다.

결과는 나의 탈락이었다. 노래가 끝난 후 결과 발표에서 내 점수가 너무 적게 나와 속상했지만 내가 선택한 상대였기에 깨끗이 승복했다. 그래도 그날 불렀던 '용두산 엘레지'는 승패를 떠나 최선을 다했기 때문에 후회도, 미련도 없었다.

소유와는 준결승 2라운드 듀엣 미션에서 만났다. 오직 다섯 명만이 살아남아 결승 무대에 설 수 있는 자격을 거머쥐는 자리였기에 자신이 가진 가장 강력한 무기를 뽑아 들고 나올 수밖에 없었다. 참여한 동료 모두 결승전에 누가 나가도 전혀 이상하지 않을 만큼 각자 빛나는 개성을 지니고 있었고, 쟁쟁한 실력도 갖추고 있었다.

소유와 내가 부를 노래는 김연자 선생님의 '진정인가요'였다. 박자, 음정, 고음 처리, 감성, 가사 전달력 등 그날 소유의 노래는 흠잡을 데가 없을 만큼 완벽했다. 소유가 선공으로 불렀는데 몇 걸음 떨어진 뒤에서 노래를 들으면서 감탄을 금치 못했다. 너무나 멋지게 시작해준 소유의 열정에 보답하기 위해서라도 나 역시 감정을 최대한 끌어올려 노래에 담아 최선을 다해 불렀다.

준결승 2라운드까지 합산한 점수에서 내가 최종 1위가 되어 결승으로 진출했다. 준결승 1라운드 개인전 대결에서 관객 최다 점수를 받았던 소유는 안타깝게도 최종 탑 5 안에 들지 못했다. 그러나 이 준결승 라운드는 소유도, 나도 각자의 개성을 살려 최선을 다했고 근사한 무대를 함께 만들어냈다고 생각한다. 경연을 통해 상위 무대로 올라가는 오디션 프로그램이기에 희비가 엇갈렸을지언정 우리가 함께 최고의 무대를 만들었다는 성취감만큼은 가슴이 뻐근할 만큼 진하고 깊은 여운을 남겼다. 노래가 끝난 후에도 손끝이 덜덜 떨릴 정도로 한참 동안 감정이 가라앉지 않았다.

"이 노래는 제 꿈을 이룬 노래입니다. 이 노래로 처음으로 김연자라는 이름을 여러분들이 알아주셨을 거예요. '진정인가요', 이 노래. 이 노래가 너무너무 어려웠어요. 지금도 컨디션이 나쁘면 음을 이탈할 정도로 굉장히 어려운 노래를 두 분이 너무너무 열심히, 정말, 정말 열창으로 끝내주게 잘 불러줘서 정말 감동받았어요. 고마워요, 진짜."

　김연자 선생님께서 심사평을 말씀하실 때 우리 둘을 향해 눈물을 글썽이시며 몇 번이나 고맙다고 해주셨다. 선생님의 심사평을 듣는 순간 왈칵 눈물이 났다. 아마 소유도 마찬가지였을 것이다. 결과 발표 후 장윤정 선배님도 우리 두 사람에 대한 칭찬과 격려를 아끼지 않으셨다.

　"두 사람 다 모든 걸 다 쏟아부은 만큼 혼신의 힘을 다했을 것 같아요. 두 분은 이 노래 덕분에 무대를, 노래를 소중히 여기는 법을 배웠을 거라고 생각을 해요. 너무나 정성껏 한 소절 한 소절 불러야겠다는 다짐을 하고, 다짐을 하고, 끝까지 긴장감을 놓지 않고 이렇게 집중해서 노래하는 모습이 너무나 아름답고, 고맙고, 훌륭했습니다. 너무 대단했어요."

　장윤정 선배님의 말씀처럼 정말로 소절마다 정성을 꾹꾹 눌러 담아 부른 노래였다. 그것을 알아주셔서 너무나 감사했다. 결승으로 가는 마지막 길목이었기에 의미가 더욱 깊었다.

　정성을 다해 노래를 부르는 것과 정성을 다해 무대를 만드는 일, 정성을 다해 사람을 대하는 일과 정성을 다해 내 길을 가는 것이 크게 다를 바가 없다고 생각한다. 함께하는 사람들이 잘되면 덩달아 내가 잘되는 것이고, 내가 잘되면 함께하는 사람들에게도 도움이 되니 우리 모두가 잘되는 일이다. 나도 잘 살고 너도 잘 살아야지, 혼자만 잘되면 무슨 재미겠는가.

맛있는 걸 먹으면 사랑하는 사람들 생각이 난다.
좋은 풍경을 보면 사랑하는 사람들 생각이 난다.

마음은 나눌수록 넉넉해지고
정은 퍼줄수록 많아진다.

15

〈미스트롯〉, 진의 왕관을 쓰다

〈미스트롯〉은 그야말로 매 순간 진검 승부였다. 치열한 승부를 경험하고 나면 자기도 모르는 새 내공이 확 쌓이기 마련이다. 〈미스트롯〉도 마찬가지였다. 예선이건 준결승이건 할 것 없이 무대가 끝나고 나면 참여자들 모두 실력이 확연히 좋아졌다. 라운드가 진행될 때마다 끼와 재능, 실력이 폭발했다. 도저히 해내지 못할 것 같은 미션도 놀라운 무대로 완성시켰다. 내가 발전한 만큼 다른 사람도 성장했다. 성장의 기쁨을 맛보는 일이 긴장되면서도 즐거웠다. 그 치열한 경합의 시간을 거쳐 마침내 결승에 진출했다. 기다리던 결승전의 막이 오른 것이다.

그러나 결승전은 마지막 골라인이 아니었다. 완전히 새로운 출발선이었다. 선곡은 더욱 신중해졌고 아주 미세한 틈이 결정적 차이를 만들 수 있었기에 작은 실수마저 용납되지 않았다.

결승 무대에 선 사람들은 모두 다섯 명이었다. 개그우먼에서 트로트 가수로 반전의 드라마를 쓴 김나희, 무한 변신 팔색조의 매력을 지닌 정다경, 폭풍 가창력과 무대 장악력이 갑인 정미애 언니, 곰탕으로 우린 듯한 깊은 감성의 소유자 홍자 언니까지 다섯 명 모두 〈미스트롯〉이 방영되는 내내 뜨거운 사랑을 받았고 노래 실력 또한 인정받은 최고의 가수들이었다. 그간의 경연에서 내가 진을 네 번 차지했다고 해서 결승전에서도 진이 된다는 보장은 절대 없었다.

개성은 달라도 실력은 비슷했다. 현장에서 누가 실수를 덜 하는가에 따라, 또는 누가 조금 더 그날의 행운을 누리느냐에 따라 결과는 달라질 터였다. 우리는 모두 영혼을 갈아 넣은 듯 가사 한마디, 노래 한 소절에 혼신의 노력을 쏟아부을 심산이었다. 결과는 아무도 예측할 수 없었다.

결승전 1라운드는 작곡가 미션이었다. 평소 연습해오던 기존 노래가 아니라 그 무대를 위해 새로 만들어진 노래를 불러야하는 만큼 가수로서 자신의 실력이 투명하게 드러날 수밖에 없는 라운드였다. 실력이 투명하게 드러난다는 것은 진짜 실력을 보일

〈미스트롯〉 출전기 ∾

수 있는 절호의 기회이기도 했지만, 동시에 밑바닥을 노출할 수도 있기에 그만큼 위험 부담도 크다는 의미였다. 게다가 스타 작곡가분들의 곡을 받는 것이어서 노래를 제대로 소화하지 못하면 작곡가님께 큰 폐를 끼치게 되는 셈이니 부담이 두 배, 세 배 더 클 수밖에 없었다.

그런 리스크가 있다는 걸 알면서도 나는 어떤 곡을 받을지 설레는 마음이 더 컸다. 내가 부를 노래를 작곡해주신 분은 장윤정 선배님의 '어머나'를 만드신 윤명선 선생님이셨다. 선생님은 노래에 대해 디테일한 디렉팅을 해주기보다 큰 그림을 그려주고 개성에 맞게 부르도록 수용해주는 분이셨다. 한마디로 '네 맘대로 한 번 놀아봐'라고 판을 만들어주시는 스타일이셨다. 그렇게 만들어주신 '무명배우'는 과거의 내 모습이 투영된 노래여서 그만큼 더 감정이입이 절절하게 되었다.

경연 날엔 윤명선 선생님은 물론 우리 가족까지 청중석에 앉아 있었다. 좋은 곡을 주신 선생님을 위해서라도 잘 부르고 싶었고, 나를 이만큼 키워주신 부모님과 든든한 버팀목이 되어준 가족에게도 기쁨을 주고 싶었다. 그런 내 마음이 노래에 고스란히 담겼기 때문일까. 648점이라는 높은 점수가 나왔다.

결승전 2라운드는 나의 인생곡 미션이었다. 내가 선택한 노래는 '단장의 미아리 고개'였다. 마지막 무대이니만큼 정통 트로트의 진수를 보여줄 수 있는 노래를 부르고 싶었다. '단장의 미아리 고개'는 애가 끊어지는 듯한 고통과 슬픔이 담긴 노래다. 동시에 슬픔을 슬픔으로만 폭발시키지 않고 절제미가 있는, 우리 민족 특유의 '한'이 담긴 노래다. 나는 노래를 부르는 내내 노래 속 주인공이 되었다. 전쟁으로 남편을 떠나보내고 자식과 둘이 남아 그리움에 눈물 흘리는 아내의 애통한 심정이 온몸에 끓어올랐다. 노래 중간에 나오는 내레이션을 할 때는 나도 모르게 눈물이 차올랐다. 마지막 한 소절을 마치고 난 후에도 감전이라도 된 듯 좀처럼 떨림이 멈추지 않았다.

'내가 할 수 있는 것을 다했다.'

정말 더 이상 잘할 수 없다고 생각할 만큼 아쉬움도, 후회도 남지 않은 무대였다. 〈미스트롯〉의 모든 무대에 최선을 다해 정성을 기울였지만 이 마지막 무대만큼은 잊지 못할 것 같았다. 아마 나뿐만 아니라 우리 다섯 명 모두 마지막 무대에 전부를 다 쏟아붓고 후회도, 미련도 없는 심정을 느끼지 않았을까.

부를 수 있는 노래는 다 불렀다. 이제 겸허한 마음으로 결과를 기다릴 차례였다. 5위부터 순위가 차례차례 발표되고 마지막으로 진과 선이 남았다. 무대에 최후까지 남은 사람은 미애 언니와 나였다. 지난 석 달 동안의 시간이 주마등처럼 머릿속을 스쳐 갔다. 동시에 지금 이 순간만 있는 것처럼 시간이 멈춘 것 같기도 했다. 모두가 결과를 기다리는 순간, 드디어 김성주 MC의 힘찬 목소리가 울려 퍼졌다.

"제1대 〈미스트롯〉 진은 바로, 송가인 씨입니다! 송가인 씨가 〈미스트롯〉 진으로 결정이 됐습니다!"

그 소리를 들으면서도 믿을 수 없었다. 미애 언니가 수고했다고, 잘했다고 따뜻하게 안아주었다. 눈물이 그치지 않았다. 왕관을 직접 수여해주신 장윤정 선배님이 깊이 안아주면서 너무 수고했다고, 고생 많았다고 토닥여주었다. 엄마한테 안겨 엉엉 우는 어린아이처럼 선배님의 품 안에서 펑펑 울었다. 그저 "고맙습니다, 고맙습니다"라는 말밖에 나오지 않았다.

〈미스트롯〉 1대 진의 왕관을 머리에 쓰는 순간까지도 정말 내 이름이 불린 게 맞는지, 내가 진이 된 게 사실인지 실감이 나지 않았다. 실력만으로 한 걸음, 한 걸음 올라 여기까지 왔지만, 나 아니면 안 된다는 생각은 한 번도 하지 않았다. 운이 좋았고, 노력이 빛나가지 않았고, 많은 분들이 응원해주신 덕분이었다. 특히 나를 응원해주신 분들을 생각하니 또다시 눈물이 철철 났다.

석 달 동안의 숨 가쁘고 가열찼던 레이스가 모두 끝났다. 내가 부른 노래들이 대부분 예전에 불리던 노래였기에 요새 트렌드와 맞지 않을까 걱정도 많았지만, 명곡은 시대를 초월해 사랑받는다는 걸 깨달은 시간이기도 했다. 그렇기에 성장과 배움이 훨씬 더 많은 시간이었다. 나도 모르는 내 모습을 발견할 수 있었고, 내 노래를 되돌아보게 되었고, 진정 어린 마음으로 사랑을 주고받는 것의 의미를 더 깊이 깨달았고, 무엇보다 초심으로 돌아가 더욱 더 발전하는 계기를 만들 수 있었다. 그리고 평소 생각조차 하지 않았던 춤도 추게 되었다.

지금도 생각한다. 동료들과 함께이지 않았다면, 서로를 인정하고 격려하며 끌어주고 밀어주지 않았다면 그 멋진 무대를 어떻게 만들어낼 수 있었을까. 그날의 승자는 겉으로 보기엔 나 한 명이었지만 사실은 〈미스트롯〉에 참여한 모두였다고 생각한다. 자신의 무대에 부끄러움이 없었기 때문이고, 부끄러움 없는 무대에 선 사람이라면 누구라도 진을 받을 자격이 충분하다고 믿기 때문이다. 〈미스트롯〉은 최고의 무대였고, 동시에 최고의 학교였다.

〈미스트롯〉 출전기

〈미스트롯〉은 같은 방향을 바라보는 사람들과
함께했던 시간이다.
그 시간을 그들과 같이 울고 웃으며
마지막까지 통과했다는 사실이
지금도 내겐 더없는 영광이고 한없는 기쁨이다.

모두 모두 고생했고
우리 모두 최선을 다했다.
〈미스트롯〉에선 우리 모두가 진이었다.

Part 4

나는 감정 부자요

진도 바다에 파도가 있듯
내 마음엔 희로애락이 있다.
크고 작은 파도가 고향 바다의 얼굴을 만들어주듯
내 안의 수많은 감정은
노래의 다양한 결을 만들어낸다.

16

세상에서 가장 큰 부자

"가인 씨 노래 듣고 아픈 게 싹 나
았어요."

"가인 씨 덕분에 우울증이 나았어요."

"가인 씨 노래를 들으면 더 살고 싶은 마음이 생겨요."

무대를 마치고 나면 팬분들께서 이런 말씀을 많이 해주신다.
이런 말을 들을 때마다 황송하기 그지없지만 실제로 그랬다면,
내 노래에 무슨 마법 같은 작용이 있어서 기적을 일으킨 게 아니
라 노래가 가진 정서의 힘이 마음을 달래주기 때문일 것이다. 나
또한 힘들 때마다 불렀던 노래가 얼마나 기운을 북돋아주는지 살
면서 많이 경험했다.

억울하고 화나는 일이 있어도 목청껏 노래를 부르면 부글부

나는 감정 부자요

글 끓어오르던 감정이 순하게 가라앉는다. 서럽고 슬플 때도 눈물 뚝뚝 흘리며 한바탕 노래를 부르고 나면 다시 살아갈 힘이 난다.

어른들이 아플수록 잘 먹어야 한다며 밥심으로 살아야 한다고 말씀하시듯, 힘들 때일수록 노래의 힘으로 살아온 것 같다. 생각을 잘해야 잘 산다는 말이 있다. 옳은 생각, 바른 생각은 삶의 방향성을 놓지 않게 해준다.

그러나 생각만으로 삶이 행복해지진 않는다. 우리가 행복할 때는 행복하다고 생각할 때가 아니라 진정한 행복감을 느낄 때가 아니던가. 맵고 짜고 싱겁고 쓰고 시고 달달한 맛이 뒤섞이며 음식의 감칠맛을 내주듯 기쁘고 슬프고 화나고 설레고 즐거운 감정은 우리 삶을 한층 맛깔나게 해준다.

노래를 잘 부르는 것도 감정을 어떻게 전달하느냐에 달려 있는 것 같다. 목청도 좋고 고음도 쫙쫙 잘 올라가는데 큰 감흥 없이 들리는 노래가 있는가 하면, 힘주어 부르지 않아도 심금을 울리며 마음의 주름을 펴주는 노래가 있다. 같은 노래라도 다른 노래처럼 들리는 이유도 부르는 사람이 어떤 감정을 담아 부르는가에 따라 깊이가 달라지기 때문일 것이다.

오래 살았다고 말할 수 없는 나이이고, 수많은 경험을 했다고 자부할 수 없는 인생이다. 나란 존재는 숱한 애환을 겪으며 살아오신 어르신들 앞에선 이제 막 알을 깨고 나온 햇병아리에 불과하다. 하지만 살아온 시간만큼 인생을 경험한다 하더라도 간접적인 인생 경험은 그 누구 못지않게 많이, 그리고 풍요롭게 하지 않았을까. 바로 노래를 통해서 말이다.

내가 태어나기 훨씬 전, 부모님과 조부모님의 시대로 거슬러 올라가 그 당시의 노래를 공부할 때면 어떤 상황에서 어떤 심정으로 이 노래를 불렀을까 하고 골똘히 상상해보곤 한다. 역사는 흐르고 사회는 변하지만 인간의 근본 심성인 마음은 변하지 않는다고 믿기에.

판소리 〈춘향가〉는 몇백 년 전의 노래다. 그렇지만 그때 사랑에 빠진 연인의 마음과 지금 연인의 마음이 크게 다르진 않을 터다. 상대를 좋아해서 어쩔 줄 모르는 마음은 동서고금을 막론하고 애틋하고 간절하면서도 세상을 다 가진 것 같지 않던가.

살아오면서 살뜰하면서도 애틋한 감정들을 많이 느꼈다. 도무지 다 갚을 수 없을 것만 같은 사랑도 많이 받고 있다. 힘들고 억울하고 슬프고 화나는 일을 겪을 때에도, 즐겁고 기쁘고 행복하고 신나는 일을 겪을 때에도 시간이 흐르면 다 지나간다고 생각했다. 그중에 어떤 일은 더러 잊기도 했고, 어떤 일은 드문드문

나는 감정 부자요

남아 있기도 하다. 그러나 수많은 경험이 남긴 생생한 감정만큼은 조금도 사라지지 않고 가슴에 새겨져 있다.

삶에 색채를 부여하는 것은 돈도, 명예도 아니다. 희로애락의 참맛을 알게 하는 감정이다. 남에게 내보일 것이라곤 갖고 있지 않지만 내 안에 보물처럼 숨 쉬고 있는 감정만큼은 풍부하고 풍요롭다. 이 감정들이야말로 내가 노래하는 힘의 원천이다.

슬픈 노래를 부를 땐

슬픈 마음이 저절로 스며든다.

신나는 노래를 부를 땐

마음이 신명 나게 솟구친다.

돈 많은 부자보다 감정 부자라는 사실이

나를 더 행복하게 한다.

17

그저 건강하게만 해라

"혹시 이런 게 우울증인가?"

밥도 못 먹을 만큼 기운이 없던 때가 있었다. 아무 의욕도 나지 않았다. 힘들 때면 전화해서 속마음을 털어놓기도 하고 속상한 일을 얘기하며 울기도 했던 친구에게조차 말하고 싶지 않았다. 방 안의 불도 켜지 않고 바닥에 누운 채 컴컴한 천장만 바라보았다.

중학생 때 소리 공부를 시작한 후로 힘들다, 힘들다 말은 했어도 진짜로 힘들다고 생각진 않았다. 대학을 졸업하고 작은 무대에 서면서도 배우는 게 많아 즐거웠다. 트로트 가수로 데뷔한 후 히트곡을 내지 못한 채 매니저 하나 없이 지방 행사를 다니면서 서러움을 느낄 때도 있었지만 내 노래를 들으면서 박수 치고 좋아해주시는 분들을 만나면 다시 힘을 낼 수 있었다.

웃지 못할 일도 있었고, 무명 가수로 갖은 수모도 겪었다. 자존심이 상했던 때도, 억울해도 참으면서 감정을 꾹꾹 눌러두던 때도 있었다. 그래도 마음 저 밑바닥에서부터 죽을 만큼 힘들다고 생각하진 않았던 것 같다. 천성이 낙천적인 기질이기도 했지만, 성실하게 열심히 노력하면 언젠가는 빛을 보는 날이 오는 것이 인생의 순리라 믿었기 때문이다.

그런데 어느 순간, 정말로 힘든 날이 찾아왔다. 비바람에 버티던 나무가 휘어지다 못해 뿌리가 뽑혀버린 것처럼 마음이 휘청거렸다. 우울증은 남의 일로만 생각했지 내게도 올 것이라 짐작한 적이 한 번도 없었는데, 몇 날 며칠 밖에도 나가기 싫고 하루 종일 눈물만 났다. 내가 무슨 영화를 보겠다고 이렇게 힘들게 사나 싶었고, 이대로 빛 한 번 못 보고 인생이 끝나는 건 아닐까 두려웠다.

간이역 허름한 벤치에 앉아 언제 올지 모르는 기차를 하염없이 기다리는 것 같았다. 누군가는 이 기차를 타고 번듯한 중앙역으로 갔다는데 그건 허황된 소문일 뿐, 사실 이 기차역은 오래전에 폐쇄된 역이라 기차가 서지도 않는다는 사실을 뒤늦게 깨닫는 악몽을 꾸는 기분이었다.

나는 감정 부자요

'몸매가 안 된다.'

'키가 너무 작다.'

'얼굴이 못생겼다.'

'매력이 없다.'

눈을 감으면 이런 환청이 들리는 듯했다. 노래를 잘하는 것만으론 가수가 될 수 없다는 비아냥거림과 멸시의 목소리들이 두 귀로 들어와 날카로운 송곳이 되어 가슴을 찔렀다. 숨이 막혀 죽을 것 같았다.

이때 가장 힘이 되어준 이들이 가족이었다. 하루는 정말로 힘들어서 엄마에게 전화를 했다. 엄마는 내 목소리만 듣고도 금방 속을 알아차린 것 같았다. 어떤 일이 있었는지 길게 말을 하지도 않았는데 딱 이렇게만 말씀하셨다.

"건강이 우선이다. 몸이 상할 정도로는 하지 마라."

이 말이 이후에도 두고두고 큰 힘이 되었다. 평소에도 입버릇처럼 기왕 할 거면 죽을힘을 다해 힘껏 애쓰라고 말하던 엄마였다. 그런데 이날만큼은 돈 못 번다고 너무 걱정하지 말고 그저 건강하게만 하라고 하셨다. 마음의 부담을 내려놓고 나자 그제야 숨이 쉬어졌다.

나의 엄마 송순단은 나를 낳고 얼마 되지 않아 신내림을 받았다. 한 남자의 아내이자 세 아이의 어머니로 평범하게 살다가 갑자기 신을 받아서 굿하러 다니니 아빠가 많이 반대했다고 했다. 하지만 어렸을 때부터 내 눈에 엄마는 정말 대단한 사람으로 보였다. 굿이 있는 날엔 저녁 6시쯤 집을 나서 새벽 2~3시가 되어야 돌아왔다. 그러고는 잠깐 눈을 붙였다가 아침 일찍 상여소리를 하러 갔다. 굿판에 입문하고 처음 3년은 그냥 하다가 기왕이면 남보다 잘하고 싶어서 씻김굿보존회에 찾아가 굿을 배웠다. 엄마가 집에서 뒷말을 하거나 힘든 티를 내는 일은 없었지만 그쪽에서 텃세로 꽤나 고초를 겪은 걸로 알고 있다.

여기에는 그만한 사연이 있다. 진도씻김굿은 대대로 대물림된 무당에 의해 전승되어온 세습무다. 그런데 신내림을 받은 강신무인 엄마가 배우겠다고 찾아왔으니 전통을 지키려는 입장에서는 마음에 들지 않았을 터였다. 목청은 타고났다고 인정받았지만 굿거리의 핵심인 사설을 가르쳐주지 않았다고 했다. 다행히 돌아가신 이완순 명인께서 엄마를 받아주셨고 엄마는 카세트테이프에 녹음을 받아와 혼자 익혔다. 나도 소리를 배울 때 선생님으로부터 녹음된 카세프테이프를 받아와 듣고 또 들으면서 익혔으니 엄마와 나는 같은 학습법을 가진 셈이다.

엄마가 얼마나 열심히 공부를 했는지 헤아릴 수 있는 에피

나는 감정 부자요

소드가 아직도 기억에 남아 있다. 부엌 찬장에는 늘 엄마가 붙여 놓은 종이가 있었다. 당시 공부하던 씻김굿 사설을 써둔 종이였는데 밥을 지으면서도 들여다보고 설거지를 하면서도 들여다보며 하루에도 수십 번씩 외우고 또 외웠다. 맞춤법이 틀린 곳도 더러 있었고 어린 내가 이해할 수 없는 말들도 많았지만 부엌에 붙어 있던 그 종이를 보며 엄마가 진짜 대단하다고 생각했다. 아무리 피곤해도 밤늦게까지 작은 앉은뱅이 밥상을 펴놓고 카세트테이프를 반복해서 들으며 글 쓰고 공부하던 엄마의 모습이 아직도 생생하다. 엄마는 존경할 수밖에 없는 분이다.

올해 엄마는 서울 LG아트센터에서 열린 한국문화재재단 창립 40주년 기념 특별공연에 참가하셨다. 10여 명의 주한외국대사들을 비롯해 430여 명의 관객들이 함께한 자리였다. 엄마가 이날 부른 노래는 진도씻김굿 중에서 '손님풀이'였다. 원래 이 노래는 천연두나 홍역과 같은 역신을 청한 뒤 해를 끼치지 말고 좋게 해주고 가라고 축원하는 내용인데 특별히 이날 무대는 코로나19를 물리치려는 염원을 담아 진행됐다.

엄마는 나라가 인정한 명인이다. 2001년 진도씻김굿 전수교육조교(인간문화재의 전 단계)가 됐다. 나라에 큰일이 있을 때 나라굿도 하신다. 진도씻김굿은 1980년 중요무형문화재(제72호)로 지정되었는데 현재 악사 부문 보유자는 있지만 무가(巫歌) 부문은 엄마를 포함해 전수조교만 두 명 있을 뿐이다.

어릴 때부터 진도의 어르신들이 걸핏하면 나한테 하시던 말씀이 있다. "네 엄마 발가락만큼이라도 따라가라." 하도 많이 들어서 귀에 딱지가 앉을 지경인데 아니라고 생각한 적이 단 한 번도 없다. 엄마가 살아온 삶의 이력을 생각하면 백번 맞는 말이기 때문이다.

그렇게 자신의 소리와 굿에 치열해서 생활에서도 엄격한 편이었던 엄마와 달리 아빠는 어릴 때부터 무조건 내 편이었다. 엄마한테는 열 번을 말해야 겨우 들어줄까 말까 한 부탁도 아빠는 한 번에 오케이를 해주셨다. 젊은 시절 동네에서 미남으로 유명했다는데 지금도 내게 세상에서 가장 잘생긴 미남이다. 재주 많고 다정하고 흥도 많은 아빠는 내 이름이 알려지고 난 후 집을 구경하러 오는 손님들을 언제나 반갑게 맞아주신다.

〈미스트롯〉 이후에 우리 집이 있는 동네는 '송가인 마을'이 되고 표지판까지 생겼다. 하루에 2천 명 넘게 오실 때도 있는데 손님맞이를 도맡아 하시는 아빠가 병이 날까 걱정될 정도다. 멀리서 오신 분들을 그냥 보낼 수 없다며 일일이 손님 접대를 하는 것뿐만 아니라 해 뜨기 전 새벽 4시 반부터 일어나 밭에 가고 논

나는 감정 부자요

에 가는 등 농사일도 소홀히 하지 않으신다. 일부러 찾아와주신 분들껜 정말 감사드리고, 점잖으신 분들이 더 많지만 아주 가끔 무례한 분도 계신 것 같다. 부모님도 기쁘게 손님을 맞이해주시지만 딸의 입장에선 부모님이 일상생활을 못 할 만큼 힘들진 않은지 걱정스러운 게 사실이다.

내가 이만큼이나마 건강하게 자라고 성공할 수 있었던 것은 우리 부모님 덕분이다. 어려운 환경에서 할 수 있는 일이라면 열 가지, 스무 가지, 백 가지를 가리지 않고 다 하면서 뒷바라지를 해주셨다. 그 시골에서 오빠와 나를 대학까지 보내려고 당신들은 안 입고 안 먹으면서 정말 허리가 휠 정도로 일을 하셨다.

지금은 조금 편히 지내셔도 될 것 같은데 딸 덕에 놀고먹는다 소리를 듣고 싶지 않다며 몸이 아파도 당신들이 하던 일을 계속해서 하고 계신다. 내 감정의 고향이며, 정서의 원천과도 같은 부모님을 생각하면 한없이 감사한 마음뿐이다.

"엄마, 아빠, 앞으로 효도 한번 징하게 해드릴랑께요."

감사함은 내 마음의 디폴트, 기본값이다.
사람을 만나도 감사하고 노래를 부르는 것도 감사하다.
맛있는 것을 먹어도 감사하고 잠을 잘 때도 감사하다.
세상 그 어느 것 하나 고맙지 않은 게 없다.

이 귀한 마음은 부모님이 주신 것이다.
진도 앞바다와 같이 깊고 넓은 사랑으로 키워주신
나의 부모님.
내가 우리 엄마, 아빠의 딸이라는 사실이 자랑스럽다.

18

참말로 귄 있다잉

〈미스트롯〉의 모든 무대가 끝나고 대학 동기들이 축하 자리를 마련해준 적이 있었다. 인복이 많아서인지 내겐 좋은 친구들이 많다. 다들 국악 전공자들이라 노래도 기가 막히게 잘하고 신명도 많은 친구들이다. 친구들과 모여 왁자지껄 한바탕 웃노라니 대학 시절로 돌아간 것 같았다. 경연 내내 쌓여 있던 긴장감과 피로가 한 방에 날아가는 듯했다.

국악은 내게 친정 같은 곳이다. 트로트를 부를 수 있는 기본 바탕이 만들어진 것도 소리 공부를 열심히 한 덕분이다. 그래서 국악이 더욱 활성화되어 많은 분들로부터 사랑을 받고 국악인들이 설 무대가 더 많아지면 좋겠다. 무명 가수 생활을 할 때도 "내가 성공하면 꼭 너네 후원해줄게"라고 입버릇처럼 말하곤 했는데 그냥 한 말이 아니었다. 정말로 도움이 되고 싶고, 앞으로 실천하고 싶다.

트로트 가수로 행사 무대에 가서도 앙코르가 나오면 판소리 한 자락을 불러드리곤 하는데 관객들이 다들 어찌나 좋아하시는지 모른다. 국악 공연을 갔을 땐 반대로 트로트를 불러드리곤 했는데 역시 좋아하신다. 좋은 음악은 장르에 상관없이 우리 마음을 위로해주고 즐거움을 주기 때문일 것이다. 우리 음악이 외국에 나가면 기립박수를 받는데 정작 우리나라에선 무대가 점점 줄어들고 있는 것 같아 안타깝다. 트로트계에 쟁쟁한 실력을 가진 분들이 많은 것처럼 국악계에도 어마어마한 실력자들이 태산처럼 많다.

〈미스트롯〉이 예능프로그램의 역사를 새로 쓰며 참신하게 받아들여진 이유가 무엇이었을까. 아마 기존에 갖고 있던 트로트에 대한 고정관념을 가차 없이 깨트려서일 것이다. 트로트는 성인가요이고 듣는 사람이 한정되어 있는 장르라는 생각을 단박에 무너뜨리며 남녀노소 누구나 즐길 수 있는 새로운 음악으로 전 국민의 흥과 신명을 불러일으키지 않았다면 그저 그런 오디션 프로그램 중 하나로 사람들 기억에서 금세 잊히고 '신드롬'이라고 불릴 만한 화제를 낳진 못했을 것이다.

나는 감정 부자요

트로트가 다양한 장르를 받아들이며 영역의 저변을 넓히는 것처럼 국악도 현대적으로 재해석하려는 시도가 꾸준히 있어 왔다. 국립창극단이 꾸준히 선보이고 있는 일련의 작품들을 비롯해 다양한 공연이 이뤄지고 있는데 많은 분들이 관심을 가져주셨으면 정말 좋겠다. 요즘 흥미롭게 들었던 노래 중에 '범 내려온다'가 있다. 유튜브 조회수가 무려 1억 뷰가 넘은 이날치의 노래다. 내가 봤던 영상은 앰비규어스 댄스컴퍼니가 함께한 퍼포먼스였는데 노래와 춤이 어우러져 그야말로 한바탕 신명 나는 마당을 펼치는 공연이었다. 우리 음악이 전통을 계승하면서도 이렇게나 현대적일 수 있다는 걸 새삼 느꼈다.

최근엔 팬분들이 내 공연뿐만 아니라 친구들의 국악 공연까지 찾아보신다고 한다. 나 혼자만 잘되길 바라기보다 주변 사람들까지 함께 잘되기를 바라는 마음을 행동으로 보여주시니 내가 아무리 오지랖을 부려 주변을 잘 챙겨도 팬분들의 마음 씀씀이에 비하면 아직도 멀고 먼 것 같다. 팬분들은 늘 내 노래를 들으며 위안을 받는다고 하시지만 오히려 내가 팬분들께 크고 넉넉한 사랑을 배우고 있으니, 친구들의 마음까지 모두 모아, 모아, 모아서 감사드린다.

전라도 방언 중에 '귄 있다'라는 말이 있는데 보면 볼수록 매

력 있고 사람 괜찮다는 뜻으로 두루두루 쓰인다. 우리 친구들도,
우리 팬분들도 참말로 귄 있당께요.

무대에 서지 못하는 날에도
내가 가수임을 잊은 적이 없다.
무대에 서지 못하는 날이 있을 뿐
내가 노래를 그만둔 것은 아니었기에.

무대에 서는 지금도
이 무대가 당연하다고 생각하지 않는다.
무대에 설 수 있는 기회를 얻었을 뿐
이 무대가 영원히 내 것은 아니기에.

다만 오늘도 노래를 부른다.

내 삶이 한 곡의 노래라면

아직은 끝나지 않은 노래,

그래서 더 불러보고 싶은 노래,

정성을 다해 아름답게 마무리하고 싶은 노래다.

19

Again, 다시 시작할 수 있는 용기

8년이라는 무명 시절을 버틸 수 있었던 데에는 마음 따뜻한 분들과의 인연, 그분들의 응원이 정말 컸다. 가수 생활을 하면서 좋은 사람들을 많이 만났고, 정말로 많은 분들께 은혜를 입었다. 이 자리를 빌려 감사의 인사를 꼭 전하고 싶은 분들이 있다. 그중 한 분이 진성 선생님이시다. 선생님은 늘 내게 재능이 있다고, 반드시 뜰 거라고 만날 때마다 격려해주셨다.

"이렇게 잘하는데 왜 안 뜨냐. 힘들어도 노래 포기하지 말고 계속해라. 넌 진짜 노래 잘하는 가수다. 앞으로 대성할 거야."

처음엔 이름 없는 후배 가수에게 빈말로 하는 말이겠거니 여겼는데 만날 때마다 진심 어린 눈빛으로 말씀해주셔서 '내가 정말 소질이 있나 보다'라며 자신감이 생겼다. 기분이 가라앉아 있다가도 진성 선배님을 만나고 나면 기운이 났다.

이렇듯 힘들었던 시기에 스스로를 믿으며 연습에 매진할 수 있었던 것은 진성 선생님의 격려 덕분이었다. 지금도 선생님은 처음과 다름없이 만날 때마다 따뜻하게 대해주시고 응원의 말을 건네주신다. 가수뿐만 아니라 한 사람의 인간으로서도 배울 점이 엄청나게 많은 분이다. 가까이에 이런 분이 계시다는 건 정말 행운이었다.

한혜진 선배님도 참 고마운 분이다. 언젠가 지방 행사 때 만난 적이 있는데 평소 우러러보기만 할 뿐 말 한마디 붙이기 힘들 만큼 대선배님이라 인사만 꾸벅 드리고 말았다. 그러니 선배님은 내가 누구인지조차 모르는 게 당연했다. 그런데 그런 내게 먼저 다가오시더니 말을 건네셨다.

"넌 이름이 뭐니? 어디 회사에 소속되어 있니? 노래 진짜 잘한다. 나중에 정말 크게 되겠다. 진짜야, 잘될 거야."

완전 무명인 나에게 대선배님이 오셔서 말을 걸어주시는 것만 해도 감사한 일인데, 내 노래를 끝까지 듣고 기다리셨다가 굳이 이런 말씀을 해주시니 몹시 감격스러웠다. 게다가 잘될 거라고 몇 번이나 거듭해주신 말에 엄청난 용기를 얻었다.

나는 감정 부자요

숙행 언니는 〈미스트롯〉을 하면서 큰 힘이 되어준 사람이다. 본인도 경연하느라 힘들었을 텐데 언제나 주변을 먼저 배려하는 모습을 보며 감탄할 수밖에 없었다. 내게 숙행 언니는 큰일부터 작은 일까지 큰언니처럼 살뜰히 챙겨주는 사람이었다. 마음결은 비단처럼 고운데 행동은 대장부가 따로 없다. 노래를 잘하는 것이야 내가 감히 말할 것도 없지만 언니의 넉넉한 마음 품을 보면 무대 위에서 빛나는 아우라가 어디에서 왔는지를 실감하게 된다. 〈미스트롯〉을 통해 언니처럼 좋은 사람을 만난 게 정말이지 큰 복이라고 생각한다. 앞으로도 본받고 싶은 사람이다.

좌절하고 실망하고, 무대 아래 구석진 곳에서 작은 어깨 움츠리며 돌아서도 다시 시작할 용기를 낼 수 있었던 것은 이처럼 따뜻한 마음을 가진 분들 덕분이었다. 그리고 내가 힘을 내는 데 절대적인 역할을 해주는 분들이 계시니, 바로 팬분들이다.

데뷔 후에도 트로트 무대에 설 일이 적어 국악 공연이 들어오면 마다하지 않고 나가던 때였다. 그날도 국악 공연이 끝나고 걸어 나오는데 좀 떨어진 정자나무 아래에서 할아버지 두 분이 노래를 들으면서 뭔가를 계속 말하고 계셨다. 그냥 지나치려 하는데 할아버지들이 듣는 노랫소리가 영락없이 내 목소리였다.

내 이름이 알려지지도 않았고, 내 노래를 듣는 사람이 있을 거라 생각하지도 않았기에 굉장히 신기하고 놀라웠다. 슬금슬금 할아버지들에게 다가갔다. 가까이 가서 보니 주거니 받거니 서로 설전을 벌이며 휴대폰으로 유튜브를 보고 계셨다. 그런데 유튜브에 나온 가수가 다름 아닌 나였던 것이다.

"할아버지, 그거 어떻게 듣고 계세요?"

가까이 가서 물어봐도 두 분은 나한테 관심조차 두지 않고 유튜브만 보고 계셨다.

"와, 노래 진짜 잘한다잉."

"그렇지, 노래 하나는 참말 기가 맥히지."

내가 눈앞에 있는데도 영상 속 가수가 나인 줄 모르고 노래에만 빠져 계시다니!

"할아버지! 이 사람이 저예요."

그제야 할아버지들은 고개를 들어 나를 보았다. 사정을 들어보니 유튜브에 나온 나랑 그날 무대에서 한복에 쪽을 지고 노래를 부른 나랑 비교하면서 같은 사람이다, 그냥 닮았다, 아니다, 얘가 걔다, 하시면서 말씨름을 하고 계셨던 것이다. 할아버지들은 역시나 그럴 줄 알았다며 손을 맞잡고 내 노래를 칭찬해주셨다. 내 노래를 들어주시고 게다가 잘한다며 좋아해주시는 분들을 만나니 돌아오는 발걸음에 힘이 났다. 앞으로 열심히 노래를 불러

나는 감정 부자요

야겠다는 용기가 백배, 천배 솟은 날이었다.

그때의 고마운 마음 덕분에 콘서트나 행사가 끝나면 팬미팅을 항상 하려고 노력한다. 끝나는 시간이 밤 10시든 11시든 장소가 울산이든 부산이든 꼭 시간을 내 팬분들을 만나려 한다. 그분들은 나 잠깐 보자고 전국 각지에서 오셨는데 그분들의 마음에 보답할 수 있는 건 어떻게 해서든 자리를 마련해 소통하는 시간을 자주 갖는 일뿐이라 생각하기 때문이다.

카페 같은 공간을 빌리는 식으로 자리를 마련해 소규모의 팬미팅을 하며 인사도 하고 질문도 받고 사진을 함께 찍기도 한다. 그러나 보면 기껏 몇 분 지난 것 같은데 어느새 한 시간이 훌쩍 지나갈 때가 많다. 그러나 내가 아무리 더 많이 드리려 해도 팬분들이 주시는 사랑엔 미치지 못하고 언제나 항상 더 받는다. 그냥 받는 것도 아니고 아주 그냥 넉넉하게 넘쳐나도록 받고 있다.

스케줄이 늦게 끝나는 날엔 운전을 해주시는 소속사 실장님이 피곤하실까 봐 너무 오래 있지는 못하지만 팬분들을 잠깐 만나는 것만으로도 기운이 솟구치고 생기가 돈다. 전엔 피곤한데 잠깐이라도 눈을 더 붙이지 왜 굳이 늦게까지 자리를 만드느냐며 걱정하던 소속사 식구들도 내가 에너지를 충전하는 가장 좋은 방법이 팬분들을 만나는 일이라는 걸 이젠 모두 알고 있다. 팬분들을 만나고 오면 새벽 늦게 돌아와도 호랑이 기운이 펄펄 나는 내 모습을 보고는 그러려니 하신다. 그래서일까. 코로나19로 팬들을 만나지 못하는 날이 길어지자 기운이 떨어지고 힘든 것 같다. 빨리 다시 만날 수 있는 날이 오면 좋겠다.

　대가를 바라지 않고 거짓 없는 마음으로 응원해주고 사랑해 주시는 분들이 계셔서 넘어지고 쓰러져도 다시 일어나면 된다는 용기를 배웠다. 사람이 사랑을 가슴에 품으면 용감해진다고 했던가. 이 사랑 절대 잊지 않고 가슴 깊이 새겼으니 앞으로 오래오래, 정성을 다해 갚고 싶다.

배가 고픈 사람에게 밥이 보약인 것처럼
마음이 고픈 사람에겐 노래가 약이 될 때가 있다.

가슴이 허하고 텅 빈 날,
옆에 아무도 없다고 느낄 때
내 노래를 밥처럼 먹고
다시 살아갈 힘을 내면 좋겠다.

넘어지면 일어나면 된다.
힘들면 잠시 쉬어가면 된다.
언제든 다시 시작할 수 있다.
몇 번이라도 다시, Again.

20

모두가 은인이고 귀인이어라

어느 해였나, 죽은 줄 알았던 화분이 햇빛 좋은 봄날, 살며시 연둣빛 싹을 틔운 것을 보았다. 작은 식물도 이렇게 애쓰며 살고 있구나, 자신에 대한 사랑을 놓지 않고 있구나 싶어 눈물이 핑 돌았다. 살아 있는 모든 것에 깃든 사랑을 본 기분이었다. 세상 모든 사랑을 생각하면 이토록 살뜰하고 애틋하다.

그 작은 새싹을 들여다보며 그 새싹을 지키고 보호해준 공기와 햇빛을 보았다. 또 그 작은 새싹에게 아낌없이 양분과 물을 보내준 흙을 보았다. 새싹은 혼자 힘으로 세상에 고개를 내민 것이 아니었다. 흙이 길을 열어주고 공기가 힘차게 붙잡아주고 햇빛이 보드랍게 감싸준 덕분이었다.

나도 혼자였다면 결코 이 자리까지 올 수 없었을 것이다. 보이는 곳에서, 보이지 않는 곳에서 나를 지탱하고 끌어주고 보듬어준 분들이 계셨다. 어느 시기엔 나를 힘들게 했던 사람들도 있었다. 하지만 돌아보면 내가 어디 한번 두고 보자고, 꼭 성공해보일 거라고 굳게 결심을 했던 데에는 그분들의 영향도 있었다. 작게 보면 원수지만 크게 보면 은인이다.

얼마 전 고향 진도에 가서 바다낚시를 했다. 어릴 땐 가족과 함께 낚시를 자주 다녔는데 크고 나서는 꽤 오랜만에 해본 바다낚시였다. 다행히 허탕은 치지 않고 돔을 잡으면서 한동안 잊고 있던 손맛을 느꼈다. 아마 이 맛에 낚시를 하는 것이려니 싶다.

출렁이는 바다 앞에서 작디작은 나 자신을 느꼈다. 바다에는 많은 물고기들이 있다. 이 거대한 바다에서 물고기 한 마리 사라진다고 한들 티도 나지 않을 것이다. 이렇게 생각하면 물고기 한 마리는 의미도, 가치도 없고 그저 허무하게 느껴진다.

노래를 부르는 것도 마찬가지다. 세상엔 엄청나게 많은 노래가 있고, 노래하는 사람들 또한 셀 수 없이 많다. 나도 그들 중 한 명일 뿐이다. 나도, 내 노래도 큰 바닷속, 헤아릴 수 없이 많은 물고기 중 한 마리에 불과한 것이다.

그러나 노래 한 곡, 한 곡이 우리를 슬프게도 하고 기쁘게도 하듯 물고기 한 마리, 한 마리가 바다를 살아 있게 하고 풍요롭게 한다. 음악의 세상에서 소중하지 않은 노래가 없듯, 바다에선 모든 물고기가 다 귀한 존재다.

땅이 자신의 몸을 열어 작은 씨앗을 품어주듯, 바다가 한 마리의 물고기도 버리지 않듯, 우리도 누군가의 도움으로 살아간다. 밤하늘의 별도 혼자 있을 때가 아니라 수많은 별과 무리 지어 있을 때 더 빛난다. 불안하거나 외로운 감정에 휩싸일 때 이 세상에 나 혼자가 아니고 노래를 사랑하는 사람들과 함께 있다고 생각하면 밥 한 그릇을 든든하게 먹은 것처럼 힘이 난다. 그리고 앞으로도 이 힘으로 힘껏 노래하고, 사랑하고, 살아갈 것이다.

인연으로 만난 분들이 아낌없이 나눠준
보드라운 사랑이 나를 채워주었고
악연이었다고 생각한 사람 덕분에
분발심을 내어 일어설 수 있었다.

내가 만난 모든 분들이 다
귀인이고 은인이다.

좋은 사람 옆에 좋은 사람

송가인. 다시 내 이름을 불러본다. 성은 송이요, 이름은 가인이라.

노래하는 사람이라는 뜻 외에 아름다운 사람(佳人)이라는 의미도 있다. 아름다운 사람이란 어떤 사람일까. 외모가 뛰어나거나 재주가 출중한 사람도 아름다운 사람일 터다. 그러나 진짜 아름다운 사람은 '좋은 사람'이 아닐까.

행복한 삶을 살아가기 위해 필요한 것들을 꼽아보라면 사람마다 다른 선택을 할 것이다. 나는 '좋은 사람들과의 만남'을 최고로 꼽는다. 간절히 바랐으나 혼자 해내기 어려웠던 꿈을 좋은 분들을 만난 덕분에 이루게 되었다. 혼자 꾸는 꿈은 나 하나를 바꾸지만 함께 꾸는 꿈은 더 강력한 현실이 되어 우리 모두를 변화시

킨다.

누구나 살면서 좋은 사람을 만나고 싶어 한다. 어떻게 하면 좋은 사람들을 만날 수 있을까? 가장 정직한 방법은 내가 먼저 좋은 사람이 되는 것이다. 내가 조금씩 좋은 사람이 되었더니 좋은 사람들이 내 옆으로 와주었다. 앞으로도 좋은 사람으로 살면서 좋은 노래를 부르고 싶다.

가수는 혼자 힘으로 되는 것이 아니다. 실력도 있어야 하지만 무엇보다 좋은 인연이 있어야 한다. 내가 노래를 부를 수 있도록 옆에서 도와주는 사람들에게 감사함을 느끼고, 무대에 올라 노래를 함께 부르는 이들과 동료애를 나누고, 내 노래를 귀 기울여 듣는 사람들에게 고마움을 전하는 모든 것이 노래하는 일에 포함된다. 그리고 거기에는 반드시 정성과 시간이 필요하다.

쌀로 밥을 짓는 일에도 시간이 걸린다. 쌀을 씻고 밥물을 얹고 불을 켜고 뜸을 들여야 한다. 밥물이 많아도 안 되고 불이 너무 세서도 안 된다. 배가 고프다고 뜸이 들기도 전에 뚜껑을 열면 설익은 밥이 된다. 밥 한 그릇을 짓는 일에도 이렇게 과정마다 정성을 들여야 하는데 하물며 사람의 마음에 가닿는 노래를 성의 없이 부를 순 없다. 가사 하나하나에 감정을 싣고, 멜로디 한 줄 한 줄에 정성을 들이는 것은 너무나 당연한 일이다.

지금은 비록 부족함이 많지만
앞으로 더 좋은 사람이 되고
더 좋은 노래를 부르겠습니다.
그 길을 가는 데
시간과 정성을 아끼지 않겠습니다.
오래오래 지켜봐주세요.

감사합니다.
사랑합니다.

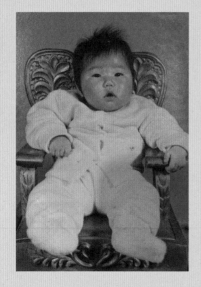

1986년 12월 26일, 전라남도 진도군 지산면 앵무리에서 아버지 조연환, 어머니 송순단의 막내딸로 태어났다. 토실한 볼살은 어릴 때나 지금이나 다를 바 없는 것 같아 사진을 볼 때마다 나도 모르게 웃게 된다. "이 아이는 자라서 <미스트롯> 진이 되어 전 국민의 사랑을 받는 가수가 됩니다"라고 했다면 누가 믿었을까.

아버지는 막내딸인 나를 금이야 옥이야 예뻐하셨다. 아버지 품 안은 항상 내 차지였고 아버지 무릎은 세상에 둘도 없는 안식처였다. 지금도 '애지중지'라는 말을 들으면 늘 아버지가 떠오른다. 내가 아무리 나이를 많이 먹어도 아버지에겐 사랑스러운 막내딸이라는 사실은 나를 행복하게 한다.

어린 시절 사진을 보면 유난히 알록달록한 옷을 입은 모습이 많다. 세 남매를 키우느라 어려운 살림을 꾸려나가는 중에도 어머니는 하나밖에 없는 딸이라고 예쁜 옷을 사다 입히셨다. 알록달록 꽃무늬 바지, 눈에 띄는 빨간 원피스, 그리고 화려한 장식이 달린 머리끈. 매일 함께 생활하던 나의 애착인형도 덩달아 예쁜 옷을 입히면서 놀았다. 무대의상에 신경을 많이 쓰는 편인데, 아마 이때부터 감각이 키워진 게 아닐까?

시간의 흐름이 느껴질 만큼 오빠들과 함께한 성장 과정이
사진 속에 고스란히 담겨 있다. 사진 속에선 다정하기 그지
없는 삼남매지만 싸우기도 참 많이 싸웠다. 큰오빠는 다정
한 성격에 그림을 정말 잘 그렸고 손재주가 뛰어났다. 작은
오빠는 개구쟁이여서 논과 산을 쏘다니면서 미꾸라지부터
지네까지 잡을 수 있는 건 다 잡아 왔다. 먼저 음악을 시작한
작은오빠와는 고등학교, 대학교 선후배 사이로 함께 자취생
활을 오래 했다. 오빠들을 생각하면 든든한 산이 떠오른다.
아직도 묘목에 불과한 것 같은 나를 든든히 지켜주는 큰 산
같은 존재들이다.

진도에서도 시골이었던 우리 동네엔 그 흔한 놀이터 하나 없었다. 하지만 작은 놀이터보다 더 광활한 놀이터가 있었으니 산과 들, 그리고 바다였다. 집 마당이든 마을회관이든 친구들과 있는 곳은 어디나 놀이터였기에, 매일매일 신나게 놀았다. 진도가 준 행복한 기운은 지금도 내 몸에 그리고 내 노래에 깃들어 있다.

소리 공부를 시작하면서 내 삶의 중심은 소리가 되었다. 훌륭한 선생님을 모시고 소리를 배우는 시간은 늘 설레고 행복했다. 잘 안 되던 소리가 꾸준한 연습 끝에 탁 하고 풀릴 때의 희열감이란 어떤 것과도 바꾸고 싶지 않은 벅찬 감동이었다. 매일 반복되는 훈련이었지만 이상하게도 지겹다고 생각한 적은 한 번도 없었다. 하는 만큼 늘어나는 실력과 연습한 만큼 보답으로 돌아오는 소리의 정직함에 매료된 그 시간 속에서 나는 점점 소리꾼으로 단련되어갔고, 무대에서 열정을 터뜨리는 즐거움을 알게 되었다.

"이번에 진도에서 <전국노래자랑> 하는데 꼭 나가봐라."

시작은 엄마의 한마디였다. 그 한마디에 별생각 없이 나갔던 <전국노래자랑>에서 최우수상을 받았고, 그해 연말 결선에서 우수상을 차지했다. 그때는 그저 노래 부르는 것이 행복했을 뿐, 가수 '송가인'으로 지금과 같은 사랑을 받게 되리라고는 정말 상상도 못 했다. 가수로서의 출발점이 되어준 <전국노래자랑>은 내게 친정 같은 곳이다. 옆에 계신 송해 선생님은 그때나 지금이나 하나도 변하지 않은 모습이신데, 소리를 가르쳐주신 선생님만큼이나 내가 존경하고 사랑하는 분이다.

"송해 선생님, 그때 가인이가 이렇게 컸습니다. 선생님께서 지켜봐주신 덕분이어라. 앞으로도 오래오래 건강하세요."

송가인 화보

송가인이어라

초판 1쇄 인쇄	2020년 12월 17일
초판 1쇄 인쇄	2020년 12월 26일

지은이	송가인
구성	스토리베리

편집인	이기웅
책임편집	이기웅
편집	주소림, 김혜영, 곽세라, 한의진
디자인	MALLYBOOK 최윤선, 정효진
책임마케팅	정재훈, 김서연, 강도연, 김예진
마케팅	유인철
경영지원	김희애, 최선화
제작	제이오

펴낸이	유귀선
펴낸곳	㈜바이포엠
출판등록	제2020-000145호(2020년 6월 9일)
주소	서울시 마포구 와우산로29마길 27 3층
이메일	odr@studioodr.com

ⓒ 송가인

ISBN 979-11-91043-12-9 (03810)

스튜디오 오드리는 ㈜바이포엠의 출판브랜드입니다.

이 도서의 국립중앙도서관 출판예정도서목록(CIP)은 서지정보유통지원시스템 홈페이지
(http://seoji.nl.go.kr)와 국가자료종합목록 구축시스템(http://kolis-net.nl.go.kr)
에서 이용하실 수 있습니다.
(CIP2020053004)